Το βιβλίο της εγγονής μου

ΤΙΤΛΟΣ ΒΙΒΛΙΟΥ: **Το βιβλίο της εγγονής μου**
ΣΥΓΓΡΑΦΕΑΣ: Μάρω Βαμβουνάκη
ΕΠΙΜΕΛΕΙΑ – ΔΙΟΡΘΩΣΗ ΚΕΙΜΕΝΟΥ: Άννα Μαράντη
ΣΥΝΘΕΣΗ ΕΞΩΦΥΛΛΟΥ: Βίκυ Αυδή
ΠΙΝΑΚΑΣ ΕΞΩΦΥΛΛΟΥ: Ludwig Knaus, *Girl in a Field*, 1857, λάδι σε καμβά, Κρατικό Μουσείο Ερμιτάζ, Αγία Πετρούπολη
ΗΛΕΚΤΡΟΝΙΚΗ ΣΕΛΙΔΟΠΟΙΗΣΗ: Βάσω Βύρρα

Πρώτη έκδοση: Νοέμβριος 2017, 10.000 αντίτυπα

Έντυπη έκδοση ISBN 978-618-01-2321-0
Ηλεκτρονική έκδοση ISBN 978-618-01-2322-7

Τυπώθηκε στην Ευρωπαϊκή Ένωση, σε χαρτί ελεύθερο χημικών ουσιών, προερχόμενο αποκλειστικά και μόνο από δάση που καλλιεργούνται για την παραγωγή χαρτιού.

ΕΚΔΟΣΕΙΣ ΨΥΧΟΓΙΟΣ Α.Ε.
Έδρα: Τατοΐου 121, 144 52 Μεταμόρφωση
Βιβλιοπωλείο: Εμμ. Μπενάκη 13-15, 106 78 Αθήνα
Τηλ.: 2102804800 • fax: 2102819550 • e-mail: info@psichogios.gr
www.psichogios.gr • http://blog.psichogios.gr

PSICHOGIOS PUBLICATIONS S.A.
Head Office: 121, Tatoiou Str., 144 52 Metamorfossi, Greece
Bookstore: 13-15, Emm. Benaki Str., 106 78 Athens, Greece
Tel.: 2102804800 • fax: 2102819550 • e-mail: info@psichogios.gr
www.psichogios.gr • http://blog.psichogios.gr

ΜΑΡΩ ΒΑΜΒΟΥΝΑΚΗ

Το βιβλίο της εγγονής μου

ΑΛΛΑ ΕΡΓΑ ΤΗΣ ΙΔΙΑΣ

Ο Αρχάγγελος του καφενείου, διηγήματα, 1η έκδοση,
Εκδ. Πύρινος Κόσμος 1978, εξαντλήθηκε.
Ο Κύκνος κι αυτός, μυθιστόρημα, 1η έκδοση, Εκδ. Οδυσσέας
1979, 10η έκδοση, Εκδ. ΦΙΛΙΠΠΟΤΗ, 1996.
Το χρονικό μιας μοιχείας, μυθιστόρημα, 1η έκδοση,
Εκδ. Δόμος 1981, 23η έκδοση 1998.
Αυτή η σκάλα δεν κατεβαίνει, διηγήματα, 1η έκδοση,
Εκδ. Δόμος 1982, 11η έκδοση 1998.
Ντούλια, μυθιστόρημα, 1η έκδοση, Εκδ. Δόμος 1984, 11η έκδ. 1998.
Χρόνια πολλά γλυκιά μου, μυθιστόρημα, 1η έκδοση,
Εκδ. ΦΙΛΙΠΠΟΤΗ 1985, 12η έκδοση 1999.
Ο αντίπαλος εραστής, μυθιστόρημα, 1η έκδοση,
Εκδ. ΦΙΛΙΠΠΟΤΗ 1986, 22η έκδοση 2007.
Η μοναξιά είναι από χώμα, μυθιστόρημα, 1η έκδοση,
Εκδ. ΦΙΛΙΠΠΟΤΗ 1987, 27η έκδοση 2007.
Ιστορίες με καλό τέλος, διηγήματα, 1η έκδοση,
Εκδ. ΦΙΛΙΠΠΟΤΗ 1988, 12η έκδοση 2000.
Οι παλιές αγάπες πάνε στον Παράδεισο, μυθιστόρημα,
1η έκδοση, Εκδ. ΦΙΛΙΠΠΟΤΗ 1990, 33η έκδοση 2009.
Τα κλειστά μάτια, αφήγημα, 1η έκδοση, Εκδ. ΦΙΛΙΠΠΟΤΗ 1990,
8η έκδοση 2001.
Τανγκό μες στον καθρέφτη, μυθιστόρημα, 1η έκδοση,
Εκδ. ΦΙΛΙΠΠΟΤΗ 1992, 15η έκδοση 2001.
Το δωμάτιο που ταξιδεύει, παιδικό, 1η έκδοση,
Εκδ. ΦΙΛΙΠΠΟΤΗ 1992, 2η έκδοση 1996.
Λουλούδι της κανέλλας, ταξιδιωτικό, 1η έκδοση,
Εκδ. ΦΙΛΙΠΠΟΤΗ 1993, 5η έκδοση 1998.
Θεατρικά 1, θέατρο, 1η έκδοση, Εκδ. ΦΙΛΙΠΠΟΤΗ 1994,
2η έκδοση 2007.
Θεατρικά 2, θέατρο, 1η έκδοση, Εκδ. ΦΙΛΙΠΠΟΤΗ 1994,
2η έκδοση 2007.
Με βελούδινα βήματα ο χρόνος, μυθιστόρημα, 1η έκδοση,
Εκδ. ΦΙΛΙΠΠΟΤΗ 1995, 6η έκδοση 1999.

Τα ραντεβού με τη Σιμόνη, μυθιστόρημα, 1η έκδοση,
Εκδ. ΦΙΛΙΠΠΟΤΗ 1996, 10η έκδοση 2003.
Ο πιανίστας και ο θάνατος, μυθιστόρημα, 1η έκδοση (με το ψευδώνυμο Βίργκω Βολάνη), Εκδ. Δόμος 1993, 8η έκδοση 2000.
Η κραταιά αγάπη, μυθιστόρημα, 1η έκδοση,
Εκδ. ΦΙΛΙΠΠΟΤΗ 1998, 11η έκδοση 2004.
Τηλεφωνήματα και ενοχές, μυθιστόρημα, 1η έκδοση,
Εκδ. ΦΙΛΙΠΠΟΤΗ 1999, 6η έκδοση 1999.
Το τραγούδι της μάσκας, μυθιστόρημα, 1η έκδοση,
Εκδ. ΦΙΛΙΠΠΟΤΗ 2000, 6η έκδοση 2006.
Ο Ντάνκαν γυρεύει τον Θεό, μυθιστόρημα, 1η έκδοση,
Εκδ. ΦΙΛΙΠΠΟΤΗ 2001, 3η έκδοση 2001.
ΕΡΩΤΑΣ: Το γελοίο και το δέος, μυθιστόρημα, 1η έκδοση,
Εκδ. ΦΙΛΙΠΠΟΤΗ 2002, 5η έκδοση 2004.
Όταν ο Θεός πεθαίνει (μια συζήτηση με τον Αλέξανδρο Κατσιάρα),
1η έκδοση, Εκδ. Δόμος 2003, 4η έκδοση, Εκδ. Αρμός 2008.
Όχι άλλη αναβολή, Μιχάλη, βιογραφικό αφήγημα, 1η έκδοση,
Εκδ. ΦΙΛΙΠΠΟΤΗ 2004, 2η έκδοση 2004.
Τα πράγματα που ζουν απ' τον χαμό, 1η έκδοση,
Εκδ. ΦΙΛΙΠΠΟΤΗ 2005, 3η έκδοση 2006.
Αντήχησα απ' το παρελθόν, μελέτημα, Εκδ. ΦΙΛΙΠΠΟΤΗ 2007.
Όλοι φοβούνται τον έρωτα, Εκδ. Αρμός 2012, 9η έκδοση 2013.

Από τις Εκδόσεις ΨΥΧΟΓΙΟΣ κυκλοφορούν:

Ο παλιάτσος και η Άνιμα, ψυχολογία, 1η έκδοση,
Εκδ. ΨΥΧΟΓΙΟΣ 2006, 72η χιλιάδα 2017.
Το φάντασμα της αξόδευτης αγάπης, ψυχολογία, 1η έκδοση,
Εκδ. ΨΥΧΟΓΙΟΣ 2008, 88η χιλιάδα 2017.
Χορός μεταμφιεσμένων, ψυχολογία, 1η έκδοση,
Εκδ. ΨΥΧΟΓΙΟΣ 2009, 30ή χιλιάδα 2009.
Μια μεγάλη καρδιά γεμίζει με ελάχιστα, ψυχολογία, 1η έκδοση,
Εκδ. ΨΥΧΟΓΙΟΣ 2010, 38η χιλιάδα 2017.
Το χρονικό μιας μοιχείας, τόμος με τρεις νουβέλες, 2η έκδοση,
Εκδ. ΨΥΧΟΓΙΟΣ 2010, 18η χιλιάδα 2017.

Αυτή η σκάλα δεν κατεβαίνει, διηγήματα, 2η έκδοση, Εκδ. ΨΥΧΟΓΙΟΣ 2009, 8η χιλιάδα 2015.
Ο ερωτευμένος Πολωνός, 1η έκδοση, Εκδ. ΨΥΧΟΓΙΟΣ 2011, 30ή χιλιάδα.
Κυριακή απόγευμα στη Βιέννη, ψυχολογία, 1η έκδοση, Εκδ. ΨΥΧΟΓΙΟΣ 2012, 21η χιλιάδα 2017.
Το δωμάτιο που ταξιδεύει, παιδική λογοτεχνία, 2η έκδοση, Εκδ. ΨΥΧΟΓΙΟΣ 2013, 4η χιλιάδα 2016.
Γενέθλια ξανά, μυθιστόρημα, 1η έκδοση, Εκδ. ΨΥΧΟΓΙΟΣ 2013, 13η χιλιάδα 2014.
Σιωπάς για να ακούγεσαι, ψυχολογία 1η έκδοση, Εκδ. ΨΥΧΟΓΙΟΣ 2014, 23η χιλιάδα 2016.
Η δικηγόρος, μυθιστόρημα, 1η έκδοση, Εκδ. ΨΥΧΟΓΙΟΣ 2015, 15η χιλιάδα 2017.
Η μπαλάντα της ζήλιας, μυθιστόρημα, 1η έκδοση, Εκδ. ΨΥΧΟΓΙΟΣ 2016, 12η χιλιάδα.

ΠΡΟΛΟΓΟΣ

Ούτε το φανταζόμουν, ούτε ήθελα ποτέ μου να γράψω αυτοβιογραφικό βιβλίο. Τα αυτοβιογραφικά βιβλία σαν να έχουν κάτι ρευστό, άκομψο· δύσκολα συλλαμβάνεται εξάλλου ακόμη και η δική σου αλήθεια. Μια βλέπεις έτσι εκείνα που έγιναν, μια αλλιώς. Δύσκολα αποφεύγεις τις ματαιοδοξίες σου ή την αυτοδικαίωσή σου. Άλλο να εισχωρούν στις ιστορίες μου στοιχεία ζωής μου –σχεδόν πάντα παραλλαγμένα– κι άλλο να μιλώ ευθέως για μια υπόθεσή μου ακριβώς όπως την έζησα.

Όμως είναι ψεύτης όποιος πει «ποτέ» ή «πάντα» για τον εαυτό του, το πλάσμα δηλαδή που γνωρίζει λιγότερο. Έρχονται μετά γεγονότα που σε μεταμορφώνουν, σου αλλάζουν γνώμες και αποφάσεις. Σ᾽ εμένα ήρθε η εγγονή μου και όσα την ακολούθησαν.

Τον περασμένο Αύγουστο που γεννήθηκε, κι έτσι όπως για καιρό κυκλοφορούσα παντού ζαλισμένη και κάπως, σαν σε έκσταση, βρέθηκα να κάθομαι μπροστά στον υπολογιστή σπρωγμένη ακούσια από κάτι σαν τυφλή ανάγκη. Ανάγκη εξομολόγησης; Ανάγκη να κρατήσω σημειώσεις που να μην ξεχαστούν; Τραγουδιού που σε πιέζει να το πεις, αφού εντός μας υπάρχουν μουσικές που αποφασίζουν αυτές για εμάς; Γέμιζα και γέμιζα σελίδες για το άγνωστο που μου έλαχε. Είπα μέσα στον νου μου πως προορίζονται μονάχα για μένα, σαν μυστικό ημερολόγιο που με τρώει να κρατώ μια τέτοια, μια τέτοια εποχή! Απρόσμενα δυνατή για την ψυχή μου εποχή, το σώμα μου, τα όλα μου.

Όμως το κείμενο μεγάλωνε, πύκνωνε, γεννούσε άλλα κι άλλα, έσερνε από το παρελθόν λησμονημένα αλησμόνητα, έπαιρνε υπόσταση δική του, δικό του θέλημα, επέμενε να μου φύγει, να πάει σε φίλους, γνωστούς και αγνώστους, έτσι όπως απαιτεί να ανακοινωθεί κάτι παράξενο. «Τάση προς ανακοίνωση», που μαθαίναμε στο σχολείο. Σου πέφτει αφόρητα πολύ, νιώθεις να το χρωστάς σε όσους έπαθαν παρόμοια, να το χρωστάς στον θαυματοποιό που σου το χάρισε. Τέλος πάντων, δεν ξέρω ακριβώς τι...

Μονάχα όσοι φτιάχνουν βιβλία γνωρίζουν τι ανελέητη ανεξαρτησία, από εσένα τον ίδιο, μπορεί να βγάλει ένα κείμενο, πόσο καταπιεστικό και πεισματάρικο, πόσο ξεροκέφαλο μπορεί να γίνει.

Υπήρχαν όμως και οι γονείς!

Ο Γιώργης και η Αλέσια που είναι πιο σοβαροί, πιο προσεχτικοί, πιο υπεύθυνοι, πιο χαμηλότονοι από εμένα. Ήμουν περίπου βέβαιη ότι θα αρνηθούν να πω την τόσο μικρή ακόμη ιστορία της κόρης τους, της πολύτιμης μοναχοκόρης τους, και να κυκλοφορήσει έξω πέρα στον κόσμο.

Μια ώρα που ήμασταν όλοι μαζί και πολύ χαρούμενοι για

κάτι -όταν είσαι χαρούμενος, γίνεσαι πιο θαρραλέος- τους το ξεφούρνισα. Το τι γράφω, το τι σκέφτομαι ίσως να κάνω αυτά που γράφω.

«Θα γράφεις και για μας;» ρώτησε ο γιος μου.

«Είναι δυνατόν να σας αποφύγω;... Είστε ένα με την υπόθεση!» έκανα μαζεμένα.

Έμειναν αμήχανοι, ανήσυχοι, δεν ενθουσιάστηκαν με την ιδέα, απ' την άλλη δεν ήθελαν να με στενοχωρήσουν έτσι υπερβολικά ενθουσιασμένη που έδειχνα. Από μόνη μου τους ορκίστηκα με πάθος να τους το δώσω να το δουν πριν το παραδώσω για έκδοση. Να αφαιρέσω ό,τι δε θέλουν να ειπωθεί, στην ανάγκη δε θα το εκδώσω καν! Τους ησύχασε μάλλον η υπόσχεσή μου.

Λίγους μήνες μετά, πάλι ώρα κεφάτη, πρέπει να ήταν τον Απρίλιο που πέρασε, η Αλέσια είπε και για τους δυο τους πως δε χρειάζεται να διαβάσουν από πριν το βιβλίο. Κατόπιν, όταν κυκλοφορήσει. Μου έχουν εμπιστοσύνη, είπε. Τους ξέρω καλά και ξέρω πως δεν τους ήταν καθόλου εύκολο να καταλήξουν εκεί. Αγαπιόμαστε όμως και η αγάπη δε φοβάται να ρισκάρει.

Η πνοή των πραγμάτων

Εκείνο το χάραμα του βροχερού Νοεμβρίου του 2015, πρέπει ακόμη να ήταν έξω σκοτάδι, κι ενώ κοιμόμουν βαθιά, εμφανίστηκε στον ύπνο μου ο μπαμπάς μου. Έχει φύγει από το 2006, κατά τη ληξιαρχική πράξη θανάτου του, χωρίς να φύγει στην πραγματικότητα απ' τη ζωή μας ποτέ. Αντιθέτως! Υπήρξε συνεπής σε εκείνο που μου έλεγε την τελευταία χρονιά της ζωής του εδώ, άμα υπέφερε από την άγνωστη για αυτόν τον γενναίο και δραστήριο άντρα ανημποριά: «Άσε με να πεθάνω, παιδί μου, κι εγώ θα σε προστατεύω από εκεί πάνω πιο πολύ...»

Τον είδα λοιπόν, την αυγή του βροχερού φετινού Νοέμβρη, λουσμένο δυνατά μέσα σε καλοκαιρινό φως, σε φως ήλιου χρυσό, πιο χρυσό από το φως που ξέρουμε τα καλοκαίρια, ασυνήθιστα λαμπερό, να ανεβαίνει αργά τη σκάλα του σπιτιού όπου τώρα μένω, του σπιτιού που πριν και επί περίπου δυο χρόνια έμενε ο γιος μου, και ανέβαινε όπως ήλιος που ανατέλλει σιγά. Μόλις, λέει, είχα ανοίξει την εξώπορτα του διαμερίσματος, για κάποιο λόγο που δεν καλοθυμάμαι, και βλέπω ξάφνου τον πατέρα μου δυνατό, γερό, υγιέστατο και ωραίο να ανεβαίνει αργά την άσπρη σκάλα, πιο άσπρη και πιο μαρμάρινη στο όνειρο από όσο πράγματι είναι, ντυμένο με τα καλοκαιρινά του· τη χακί βερμούδα και ένα άσπρο μακό μπλουζάκι από πάνω. Πίσω του έπεφτε φως υπερβολικό όπως είπα, καλοκαιρινό, θερμό, αυγουστιάτικο, εκτυφλωτικό, που αύξανε και πλημμύριζε όσο ανέβαινε και πλησίαζε τη σκηνή του ολοζώντανου τούτου ονείρου.

Τα όνειρα κατά κανόνα καθόλου προφητικά δεν είναι. Και κατά την πίστη μας και κατά την επιστήμη της ψυχανάλυσης δεν πρέπει να σπεύδουμε να τα θεωρούμε προφητικά. Η αγωνία μας για το μέλλον, το αύριο, το σε λίγο, το μέχρι αύριο ή και μέχρι απόψε το βράδυ, λογική όσο και μυστήρια στην έντασή της αγωνία του ανασφαλούς στους αιώνες των αιώνων ανθρώπου, επιμένει να τα μεταφράζει από τους ονειροκρίτες και από κάθε ερασιτέχνη πολύξερο ως σημαδιακά. Όμως η αγωνία τού τι μας μέλλεται ξεπερνάει μόρφωση και φρόνηση. Άλλο το λογικό, άλλο το ψυχολογικό στα ανθρώπινα πράγματα. Και οι πλέον ορθολογιστές, χωρίς να το ομολογούν, επηρεάζονται από κάποια δυνατά όνειρά τους.

Κατά τον Φρόιντ κάθε όνειρο είναι πάντα καμωμένο από έναν φόβο μας ή έναν πόθο μας, που έχουν επιτακτική την ανάγκη να εκδηλωθούν, να ικανοποιηθούν ή να εκτονωθούν, έμμεσα και παραμορφωμένα έστω. Έμμεσα και παραμορφωμένα συνήθως, ώστε να γίνουν ανεκτά από τη συνείδησή μας, ανεκτά από το υπερεγώ μας και τα συμβατικά πρέπει που μας δυναστεύουν από παιδιά.

Για τούτο, και κατά τις διάσημες ψυχαναλύσεις του στο ντιβάνι της Βιέννης, στο ιστορικό του διαμέρισμα της οδού Μπεργκάσε 19, ο Φρόιντ τα όνειρα τα χρησιμοποίησε συστηματικότατα αλλά όχι για να προφητεύει. Τα ρωτούσε σχολαστικά και τα κατέγραφε με κάθε δυνατή λεπτομέρεια αλλά με άλλες προθέσεις. Για να φτάσει μέσω αυτών σε απόκρυφα πάθη ή τρόμους του αναλυόμενου, να τον κατανοήσει στις απωθήσεις του, να τα δει αυτά ο πάσχων και να τα παραδεχθεί, να τα αντέξει, ώστε να ψηλαφήσει και ο θεραπευτής τις αιτίες των νευρώσεών του. Τα χαρακτήρισε μάλιστα «η βασιλική οδός προς το ασυνείδητο».

Ωστόσο, υπάρχουν και κάποια όνειρα που είναι αλλιώς!... Θες δε θες, όσο κι αν είσαι «επιστημονικός» και «λογικότατος», το αισθάνεσαι ότι είναι διαφορετικής τάξης παραστάσεις. Ναι, το πιστεύω, το πιστεύει και ο φροϊδικός Καρλ Γιουνγκ άλλωστε, ο οποίος στην ουσία συνέχισε την ψυχανάλυση διαδεχόμενος τον δάσκαλό του. Ισχυριζόταν και έγραψε: *Υπάρχουν κάποτε όνειρα που έχουν να κάνουν με το μέλλον!*

Πρόκειται για εξαιρέσεις σίγουρα και χρειάζεται σύνεση και φειδώ στο να τα παραδεχόμαστε έτσι. Όμως είναι περίπου απτό ότι κάποια όνειρα είναι ιδιαίτερα. Δεν έρχονται από μέσα σου, αλλά σαν κάπου απ' έξω, ενίοτε από πολύ μακριά, από μια άλλη χώρα, από άλλο χώρο, από ιστορίες άλλων, από μια άλλη διάσταση, άλλο χρόνο ή άχρονο. Δεν υπάρχει τρόπος να δώσεις κριτήρια που θα ξεχωρίσουν ότι συμβαίνει κάτι τέτοιο. Ή το αισθάνεσαι ή όχι. «Το χτυπάς και ηχεί αληθινό ή όχι», όπως έλεγε για τα αληθινά ποιήματα όταν ρωτήθηκε ο Γιώργος Σεφέρης.

Θα δείξει καθ' οδόν εξάλλου... Καταντάει όμως τόσο απτό ως ζωτική εμπειρία, ώστε αναστατώνει και τους πιο δύσπιστους περί τα μεταφυσικά και τα υπερφυσικά. Ένα τέτοιο ονειρικό συμβάν ήταν για μένα εκείνη η εμφάνιση του μπαμπά μου. Την επομένη το διηγήθηκα στο τηλέφωνο στην Αλέσια, το έγραψα μήνυμα στην αδελφή μου: *Είδα απόψε τον μπαμπά... Κάτι καλό θα γίνει.*

Τα όνειρα με τους γονείς μου που έφυγαν, τόσο σιμά ο ένας με τον άλλο, κάποτε προσπαθούν κάτι να μου πουν, να μου υποδείξουν. Δεν το ωραιοποιώ, δεν υπερβάλλω, ούτε πάντα παραμυθιάζομαι. Ειδικά για ένα τέτοιο αίνιγμα, όπως είναι η μετά θάνατον κατάσταση των γονιών μου, μου είναι τόσο αναγκαία η αλήθεια ώστε δεν επιτρέπω στον νου μου ούτε στο ελάχιστο να φαντασιωθεί. Εξάλλου, πάντα εκ των υστέρων αποδεικνύεται εκείνο που μου προμήνυσαν. Σύντομα εκείνα που οι γονείς μου «έδειξαν» στον ύπνο μου οδηγούν εντέλει σε κάτι που όντως συμβαίνει ή ακολουθεί, και είναι πια εξόφθαλμο. Το ξαναλέω, δεν είναι ότι τα πλάθω έτσι μόνη μου εγώ με συμβουλάτορα την τεράστια και τυραννική μου ανάγκη να μην απομακρυνθούν απ' τη ζωή μας. Την τεράστια ανάγκη μου, τη μόνιμη, προκειμένου να αντέξω το φευγιό τους, προκειμένου να διατηρώ συχνή και ζωντανή –και τώρα που είναι νεκροί σωματικά– τη σχέση μου μαζί τους. Είμαι βέβαιη.

Στάθηκε ανυπόφορο να τους αποχωριστώ με αφορμή

κάτι τόσο λίγο όσο είναι ένας σαρκικός θάνατος, κι αυτή η πίστη μου στην ατελείωτη, την ατέρμονη σχέση μας με σεβάστηκε, με συμπόνεσε. Ανταποκρίθηκε. Εκείνες τις μέρες, ίσως κι εκείνη την ίδια νύχτα του Νοέμβρη με τη βροχή, τη νύχτα με το ολόχρυσο όνειρο της αυγής της, μέσα στη μήτρα της Αλέσιας ξεκίνησε να υπάρχει η εγγονή μου, η μοναδική μου εγγονή.

«Να ζει κανείς ή να μη ζει;»…

Το θαυμάζουμε στοχαστικοί, άμα ακούμε στο θέατρο ή στο σινεμά τον μελαγχολικό πρίγκιπα της Δανιμαρκίας, τον ιδαλγό, πάντοτε μαυροφορεμένο Άμλετ. Είναι άλλωστε η βαθύτερη οντολογική ερώτηση του ανθρώπινου νου, το πιο καίριο διαζευκτικό μας. Ξεπετάγεται μέσα μας κάθε τόσο στα όρια μιας απόγνωσης, όταν η ζωή πέφτει πάνω μας απάνθρωπα σκληρή, ακατανόητα δύσκολη. Όταν γίνεται ανυπόφορα ασήκωτη και, κατά τη γνώμη μας, άδικη. Κατά τη γνώμη μας…

Θυμάμαι καλά το πότε το πρωτοσκέφτηκα, βιωματικά εννοώ το πρωτοσκέφτηκα, με πόνο, στον μυ της καρδιάς και στο πετσί μου. Πώς γίνεται να μην το θυμάμαι! Είχα πριν από λίγες μέρες γεννήσει με δυσκολία τον Γιώργη, κατασπαραγμένη από έναν βάρβαρο τοκετό, τον τράβηξαν έξω από το σώμα μου με κουτάλια. Ανήμπορη να κινηθώ για αρκετές μέρες, έσκυβα και όλο αγωνία τον παρατηρούσα στην κούνια του να βασανίζεται νωρίς από τους κολικούς. Να σφίγγεται, να συσπάται το μουτράκι του, να κοκκινίζει σαν ρόδο με αίμα, να φωνάζει για βοήθεια που δεν κατάφερνα ούτε γνώριζα να προσφέρω, όσα έκανα δεν έπιαναν, να θρηνεί όλη νύχτα, και μου φάνηκε πως έσερνε πάνω του όλη τη δοκιμασία του ανθρώπου από τόσο νωρίς, τόσο πρώιμα, τόσο μα τόσο άδικα νωρίς.

Κάθε εξήγηση για τους Πρωτόπλαστους και το προπατορικό αμάρτημα θα με έκανε θηρίο. Μια μάνα-τίγρη θα με έκανε για το λογικά άδικο, για το σπλαχνικά ανεπίτρεπτο. Τα πονεμένα σπλάχνα μου αντιδρούσαν με βία. Αν ήταν δυνατό να τολμήσει να μου εξηγήσει ένας παπάς ότι το μωρό μου πληρώνει απόψε στην κούνια δίπλα μου για την πτώση του Αδάμ και της Εύας! Θα χυνόμουν πάνω του και θα ούρλιαζα πως ή παρανοϊκός είναι ή από φύση σαδιστής.

Φοβόμουν πως έφερα στη ζωή, θέλει δε θέλει, ένα ανθρωπάκι αθώο για να βασανιστεί, πως γέννησα μια παραπάνω οδύνη. Μου ήρθε λοιπόν τότε στη σκέψη και με συντάραξε η αμφιβολία του Άμλετ κι αναρωτήθηκα αν αξίζει, αν είναι για το καλό του που το συνέλαβα, που το έθρεψα στην κοιλιά μου, που το βοήθησα να ζει. Μετά τα δικά μου μαρτύρια με τις κουτάλες στην αίθουσα τοκετών, το μωρό που γέννησα έδειχνε να υποφέρει περισσότερο από εμένα. Η ζωή είναι ωραία, σου λένε όλα τα δώρα και τα στολίδια, οι ευχετήριες κάρτες, οι γαλάζιοι φιόγκοι, τα χαρούμενα τηλεφωνήματα, οι γελαστές φωτογραφίες, τα λουλούδια στο σκηνικό μιας γέννησης στολίζουν ένα πανηγύρι που ξεγελά την οδύνη.

Ευτυχώς οι πρώτες πληγιασμένες μέρες μας άρχισαν να βηματίζουν και να προχωρούν, και η ζωή να επιστρέφει όλο και πιο αποζημιωτική. Οι πρώτες μέρες… Πώς να μη σε κυριεύει επιλόχεια κατάθλιψη μετά την εμπειρία τους; Δε θα ήσουν στα καλά σου αν δε σε κυρίευε.

Οι ενοχές για τον γιο μου μόλις είχαν ξεκινήσει. Ποτέ δε σε αφήνουν πια οι ενοχές για το παιδί σου, ποτέ! Ίσως και να ριζώνουν από τούτο το πρώτο στοιχειώδες ερώτημα είτε έχεις διαβάσει Σαίξπηρ, είτε όχι. Είτε γνωρίζει λογοτεχνία και γράμματα είτε όχι μια μάνα, σε όλα τα μήκη και τα πλάτη της γης, θα το αναρωτηθεί κάπως ετούτο. Αξίζει η ζωή που του δίνω, που του γαλουχώ; Μετά το βρέφος, σαν πλακούντας βγαίνει απ' το κορμί σου κάποια ισόβια ενοχή. Σε όλες τις ηλικίες, τις δικές σου άλλες ηλικίες και τις δικές του άλλες ηλικίες, θα σε κυνηγά. Με την ελάχιστη αφορμή, με την πιο κουτή, την πιο άσχετη, πάντα θα τρομάζεις πως κάτι δεν του έκανες καλά, δεν του έδωσες όσα οφείλεις. Εσύ ονειρευόσουν από μικρή, όταν παίζατε με τις φίλες σου τις κουμπάρες, να φέρεις μια μέρα στη ζωή ένα πλασματάκι γελαστό και τρισευτυχισμένο, όπως τα μωρά των διαφημίσεων, ενώ τώρα η σκηνή είναι αντίθετη. Κατασχισμένη, με ράμματα, καταμπαλωμένη, με βαριά και πονεμένα από το ζεστό γάλα τα στήθη, μπροστά στο μωρό σου που πονά και θρηνεί και κουλουριάζεται, νιώθεις ίσως τη σκληρότερη θλίψη σου. Και ανησυχείς. Θα καταντάει πειρασμική η εμμονή των τύψεων προς το παιδί σου. Πειρασμική και η τόση ισόβια αγωνία σου. Μου το είπε σήμερα και ο καλός ιερέας, στον οποίο σπανίως πηγαίνω και εξομολογούμαι, και αισθάνομαι πως ναι, έχει δίκιο. Δεν είναι του κόσμου τούτου και της κοινής λογικής, της φυσιολογικής ανησυχίας, τέτοιοι φόβοι.

Απέφυγα να συζητώ γενικά για το συμβάν με τους κολικούς και για το ερώτημα του Άμλετ. Μιλάω εύκολα για όσα με στενοχωρούν ή με θυμώνουν, αλλά, εφόσον με πονούν πολύ, τα λέω μέχρι έναν βαθμό. Για τα παραπέρα από τούτον τον βαθμό βουβαίνομαι, δεν έχω λόγια. Αποφεύγω τα λόγια που θα τα κάνουν πιο υπαρκτά, πιο σαφή, αποφεύγω την έκφραση που τα επιβεβαιώνει και ίσως προκαλεί τη μοίρα να στραφεί και να τα προσέξει με μάτι κακό. Άρνηση και δέος και πρόληψη, δεν ξέρω τι, δε θέλω ούτε να ακούσω τα χείλη μου να το λένε. Μπορεί η έκφραση να καθαρίζει την καρδιά, όμως είναι και κάποιες σιωπές που υποβαθμίζουν, που υποβιβάζουν ένα δυσάρεστο.

Χρειάστηκε να περάσουν σχεδόν σαράντα χρόνια και να μου στείλει στο κινητό ο Γιώργης τη μέρα των γενεθλίων του μήνυμα, το πιο καθησυχαστικό μήνυμα που έχω πάρει. Ήταν μεσάνυχτα, την ώρα που έμπαινε η μέρα των γενεθλίων του, 18 Ιανουαρίου: *Σ' ευχαριστώ, Μα, που με έφερες στη ζωή!* Η Μα είμαι πάντα εγώ, έτσι με λέει, από το μαμά και από το Μάρω. Το Ουφ! Είμαι πάλι εγώ, ένα αμέτρητο Ουφ, από την ανακούφιση και το ούφο, σαράντα χρόνια αμφιβολίας λήγουνε. Κατά κάποιο τρόπο δηλαδή λήγουνε…

Οι πιο μεγάλες απαντήσεις για τα σπουδαία, τα τυραννικά, τα στοιχειώδη υπαρξιακά ερωτήματα αργούν. Οι πιο δυνατές λύσεις αναβάλλονται για κάποιο λόγο. Μάλλον γιατί μας προϋποθέτουν ωριμότερους, ικανούς να τα εννοήσουμε αν αποκαλυφθούν. Αργούν για να εκπαιδευτούμε καλύτερα πάνω στο ερώτημα, για να δουλέψουμε το πρόβλημα πρώτα μονάχοι μας, μόνοι, μονότατοι. Πώς να ωριμάσεις χωρίς πόνο, χωρίς στέρηση και χωρίς άσκηση; Πώς χωρίς δοκιμασία;

Όμως η εγγονή μου η Μαρία, η Μάσα στα ρωσικά, μιας άλλης μεγάλης πατρίδας όπου ανήκει το μισό αίμα της, η Μάρω, το Μαράκι, η Μάρουσκα και η Μάσενκα, όπως περισσότερο τη φωνάζουμε όσο γλυκά γλυκά μεγαλώνει, δεν υποφέρει μέχρι στιγμής από σοβαρούς κολικούς ή δεν υποφέρει πολύ μπροστά μου, τα απογεύματα που είμαι εκεί. Ίσως οι γονείς της που την ξενυχτούν να σκέφτονται κι εκείνοι τώρα τα ίδια. Να τους επισκέπτεται κάπως ο γκρινιάρης, ο γρουσούζης Άμλετ και να τους χαλάει τη χαρά. Είναι ιδανικές οι πρώτες σαστισμένες νύχτες του μωρού σου να σε κάνουν να συγγενέψεις με τον Σαίξπηρ, να γίνεις μελαγχολικός πρίγκιπας και Δανός. Να φιλοσοφείς πρόχειρα για τα νοήματα της ύπαρξης όπως αντικρίζεις αυτό εδώ το δακρυσμένο, το φοβισμένο, πονεμένο θαύμα. Που πονάει και απορεί, απορείς, τι κακό έκανε;

Και στ' αλήθεια, το βλέπω τώρα εκείνο που άκουγα, και σήμερα μου συμβαίνει, ναι, είναι πιο εύκολο να είσαι γιαγιά! Πολύ πιο εύκολο και δόξα τω Θεώ! Χαρούμενα κι ευτυχισμένα είσαι γιαγιά. Λίγο πιο ξέγνοιαστα, αρκετά πιο ξέγνοιαστα, λίγο πιο πέρα, αρκετά πιο πέρα από τα δύσκολα της νύχτας, της αυπνίας, από τα σωματικά βασανάκια του, τις αγωνίες να φάει, να ρευτεί, να μην κάνει εμετό το γάλα, να μην πέσει, να μη διπλώσει το ποδαράκι του, να μην κάνει πυρετό. Σαν γιαγιά ζω τώρα τη χαρά της ζωής μου. Η μάνα είναι καημός. Σαν γιαγιά, ναι, είμαι ευτυχισμένη, σαν μάνα πάντα καημός...

Ξημερώνουν μέρες που τα πάντα σε εκνευρίζουν, από λίγο σαν γκρίνια, μέχρι να σε κάνουν άρρωστη, πτώμα, κι όλα να σου φαίνονται άχαρα, στριμμένα και εχθρικά, μόνο και μόνο γιατί κάτι χαζά, κάτι ελάχιστα σου πήγαν ανάποδα. Όμως πήγαν συνεχόμενα ανάποδα, το ένα ακολούθησε παράξενα το άλλο, για να πάρει μπρος ο δύσθυμος, νευρικός μηχανισμός σου. Χύθηκε δυο φορές κάτω ο καφές, έπεσε το σήμα στο κινητό σου, κολλάει ο υπολογιστής, δεν απαντούν στο τηλέφωνο σε μια υπηρεσία, σε ξύπνησαν χτυπώντας κατά λάθος το κουδούνι σου. Αυτά που πιο πολύ με γονατίζουν είναι οι δικές μου βλακείες και αφηρημάδες, οι δικές μου ζημιές, ιδίως άμα τις καταφέρνω συνεχόμενα. Και ξημερώνουν βέβαια μέρες που όλοι τις καταφέρνουμε συνεχόμενα. Φαντάζομαι με τα χρόνια τι θα γίνει με τη γεροντική άνοια!

Άλλες πάλι μέρες, η ψυχή σου ξυπνάει σαν ξαναχτισμένη απ᾽ την αρχή και ολόφρεσκη, κάστρο απόρθητο. Ο κόσμος να χαλάσει, να γίνει σεισμός, εσύ δε μετακινείσαι από το κέφι ούτε σπιθαμή. Καλά, το σεισμός το παίρνω πίσω γιατί τους τρέμω και με πεθαίνουν, δεν παίζουν σ᾽ αυτό που προσπαθώ να πω. Όμως, πέφτει έξω κατακλυσμός, σου παρασύρουν τα νερά το παρκαρισμένο αμάξι, σου τηλεφωνούν για ένα χρέος στην εφορία που ξέχασες, που μάζεψε προσαυξήσεις, μαθαίνεις πως ένας συγγενής είπε το και το εναντίον σου. Τίποτα!... Για όλα έχεις μια γρήγορη απάντηση και λύση, ένα χρυσό δόλωμα που αλιεύει μονάχα τα θετικά, στο τέλος καταλήγεις πως έτσι έπρεπε να γίνει, λες πως κάθε εμπόδιο για καλό, πολύ καλό, και το εννοείς.

Ειλικρινά δεν ξέρω από πού προέρχεται αυτή η ανάστροφη, η δυσανάλογη με τα συμβάντα προδιάθεση. Πού άραγε να ριζώνει η όρεξη μιας ημέρας όταν ξεκινάει αποφασισμένη να μην επηρεαστεί. Να παραμείνει γκρινιάρα και φοβική, ή να παραμείνει ενθουσιώδης και αισιόδοξη ό,τι γεγονός κι αν ακολουθήσει.

Όχι, θέλω να πω, όσο απίθανο κι αν ακούγεται, δεν είμαστε εντελώς εξαρτημένοι από τα εξωτερικά γεγονότα. Παλιά το πίστευα, όμως όσο μεγαλώνω και παρατηρώ τον εαυτό μου σε σχέση με τη γύρω πραγματικότητα, το ξεχωρίζω πού και πού πως οι συνθήκες της ζωής δεν είναι και τόσο συνδεδεμένες με τον χαρακτήρα μας ούτε με τις διαθέσεις μας. Από κάπου αλλού, πολύ πιο μέσα, πολύ πιο πέρα πηγάζουμε. Όχι, τα γεγονότα δεν είναι απόλυτα καταλυτικά στα δικά μας συναισθήματα, τουλάχιστον όσο θέλουμε να νομίζουμε, προκειμένου να αγνοούμε το δυσεξήγητο σύμπαν εντός μας. Όμως πάντα αναζητούμε τι και ποιος απ᾽ έξω, ένα γύρο, μας φταίει για τα δυσάρεστα, τα αρνητικά. Αφού για τα θετικά και τα άξια βέβαια αιτία είμαστε μόνο εμείς.

Οι εξωτερικοί φταίχτες, όμως, στα άσχημα νομίζουμε πως είναι του χεριού μας, μπορούμε να τους τα φορτώνουμε, να τους δικάζουμε, να απαλλασσόμαστε από ευθύνες και οφειλές. Έτσι νομίζουμε, έτσι ανακουφιζόμαστε προσωρινά, διότι σ᾽ αυτήν ακριβώς τη μετάθεση ευθυνών φωλιάζει ο λόγος που δε συνερχόμαστε εντέλει από τις νευρώσεις μας. Κάτι πολύ πιο βαθύ, κάτι εσωστρεφές και εσωτερικό, υπόγειο, πολύ πιο προσωπικό, αποφασίζει για την ημερήσια διάταξη των συναισθημάτων μας. Κι έχει να κάνει με την προσωπική ψυχή μας, τη δομή και την ιστορία της. Την ελευθερία της περισσότερο, τις επιλογές της, την απόφαση τι να κάνουμε τα καλά, τι να κάνουμε τα κακά της, την ελευθερία της σίγουρα, κι ας ακούγεται υπερβολικό.

Άσχετο, αλλά οπωσδήποτε εμένα με επηρεάζει σε μεγάλο βαθμό ο ύπνος μου. Έτσι και έρθει να με βρει στο μαξιλάρι μου, με παίρνει μαζί του σε μια άλλη, σοβαρή, σουρεαλιστική ζωή, όπου μου συμβαίνουν πολλά και διάφορα μέσα από όνειρα και εφιάλτες.

Μια κακιά, άυπνη ή μισοάυπνη νύχτα μπορεί να με αρρωστήσει άσχημα για όλη την επομένη. Να με κάνει να σέρνομαι, να κουράζομαι αλλά και να δυστυχώ, να μεμψιμοιρώ, να παίρνω αποφάσεις απίστευτες, πάντα λαθεμένες, πάντα αρνητικές, να κρίνω απαίσια τους άλλους και απαισιότερα τη μοίρα μου. Γι' αυτό προφυλάσσω και κυνηγώ τον νυχτερινό ύπνο μου όπως ένας πρωτόγονος των σπηλαίων το φαγητό του. Είναι το ουκ άνευ μου.

Τίποτα βέβαια δεν υφίσταται χωρίς εξαίρεση. Υπήρξαν άυπνες νύχτες με μίζερα πρωινά που με πείσμωσαν. Επειδή ακριβώς τα φοβήθηκα με έκαναν να ψιλοδυναμώσω, να ορκιστώ πως εγώ τελικά θα ξεφύγω, θα βγω από το τέλμα του επερχόμενου μαύρου εικοσιτετραώρου. Με κούρδισαν να πιεστώ και να γίνω δυναμικότερη. Ένα τέτοιο πρωινό, σύρθηκα στο συμβολαιογραφείο που τότε κρατούσα κάπου στην Πλατεία Μαβίλη, έχοντας πια μετατεθεί από τη Ρόδο στην Αττική, και ξεκίνησα ένα βιβλίο μου με τίτλο *Η μοναξιά είναι από χώμα*. Θυμάμαι πως κάθισα κι έγραψα σε μια κόλα χαρτί την πρώτη πρόταση που μου ήρθε ξεκάρφωτη λες στον νου, όπως συνήθως ξεκινώ να γράφω μια ιστορία που νομίζω ότι δε γνωρίζω, ότι δεν έχει ήδη εκκολαφθεί από καιρούς μέσα μου: *Υπήρξε κάποτε ένας άνθρωπος που στεκόταν στον καθρέφτη του και δεν έβλεπε το είδωλό του.* Ό,τι ακολούθησε, ακολούθησε περίπου αυτόματο, βιαστικό και επίμονο από μια πηγή που δε γνώριζα τη φλέβα και το νερό της, την κοίτη του και τη ροή του.

Και η μαμά μου συνήθιζε να λέει πως «Ένα ελάχιστο μπορεί να με κάνει να χαρώ, κι ένα ελάχιστο μπορεί να με ρίξει στα τάρταρα...» Ήταν κι εκείνη Ζυγός, ζώδιο του αέρα που όλο κλυδωνίζεται. Με την παραμικρή πνοή των πραγμάτων.

Όμως σήμερα...

Όμως σήμερα, παρά την επίμονη, κακιά ζέστη του Αυγούστου που μας έχει ρημάξει εδώ και μέρες, εγώ αισθάνομαι τέλεια. Από τον καυτό, υγρό, σημερινό Αύγουστο κρατώ το πορτοκαλένιο φως του ερχόμενου απογεύματος, την ήρεμη μισοάδεια Αθήνα, την επελαύνουσα πάμφωτη πανσέληνο, τις καμπάνες του Αγίου Ελευθερίου όταν αρχίζει στις εφτά ακριβώς η Παράκληση προς την Θεοτόκο όσο πλησιάζει κι έρχεται ο Δεκαπενταύγουστος. Όλα τα καλά, τα ποιητικά, τα ωραία κρατώ και είμαι τρισευτυχισμένη.

Γιατί, το σπουδαιότερο, θα φύγω σε λίγο και θα πάω να δω τη μικρή Μάρω που σήμερα γίνεται δέκα ημερών! Δεν το πιστεύουμε πως έγινε κιόλας τόσο μεγάλη. Ήδη και πριν φτάσω να την πάρω αγκαλιά, το αισθάνομαι το μικρό κεφαλάκι μέσα στη χούφτα μου, το μεταξένιο ποδαράκι στα χείλη μου. Ένα ένα λες και τα ψηλαφώ δέκα τέλειες μινιατούρες τα δαχτυλάκια. Το γλυκό της γόνατο. Τα ξαφνικά χαμόγελα που σκάει απροειδοποίητα, σαν πρώιμα ανυπόμονα μπουμπούκια.

Το μωρό είναι τόσο πολλή αίσθηση, τόσο συγκινητική, τρυφερότατη αίσθηση! Σε διδάσκει τις δυνατότητες της αφής σου, της όρασης, της όσφρησης, της ακοής σου. Σε διδάσκει πόσο μακριά μπορεί να φτάσει η τρυφερότητα, ακόμη και να εξοριστεί, τόσο μακριά προκειμένου να χαϊδέψει κάποιον. Με τρόπο έτσι λεπτό να αγγίξει, τόσο λεπτό και διεισδυτικό –θα ήταν από αιώνες ξεχασμένος αν δεν υπήρχαν τα μωράκια–, που σε σφάζει σε φετούλες φετούλες.

Το μωρό είναι έτσι όμορφο, έτσι συγκινητικό, έτσι αθώο, ανήμπορο και μαγνητικό, ώστε να τείνουν αυτόματα να το προστατέψουν οι μεγάλοι. Ακόμη και τα γατάκια, τα κουτάβια, τα κοτόπουλα, τα νεογέννητα γαϊδουράκια που τρέμουν στα λιγνά τους πόδια, και όλα τα ζώα τα τόσα δα. Σαν από ένστικτο, ή ίσως και γνήσιο ένστικτο αυτό καθαυτό, ορμάς να το σώσεις, να το παρηγορήσεις, να του δώσεις χαρές. Η σοφία του Θεού έπλασε τα μικρούλια της γης πεντάμορφα, τρυφερά, άδολα, ελκυστικά, τόσο μοναδικά που κάνουν λιώμα και τον πιο σκληρόκαρδο. Τα άφησε αβοήθητα, έτσι σπαραχτικά αβοήθητα κι αγνά που μας υπνωτίζουν να τα σηκώσουμε προστατευτικά στην αγκαλιά μας. Να τα λυτρώσουμε. Από τι; Από το ότι θα χαθούν αν δεν τα πάρουμε εμείς στην αγκαλιά μας. Έχουν, βλέπεις, και τα μωρά τα όπλα τους, τα μεγάλα, τα τεράστια, ισχυρά τους όπλα. Σε στοχεύουν, σε σκλαβώνουν, και σε κάνουν μικρά μικρά κομμάτια και σκλάβο τους.

(Μου είναι αδύνατο να σβήσω απ' το λάπτοπ μου την ανυπόφορα τρυφερή, την ανυπόφορα επώδυνη φωτογραφία του μικρού Ιλάν όπως είναι πεσμένος και νεκρός στα νερά του Αιγαίου... Το αισθάνομαι προδοσία να τον σβήσω. Πώς να αγκαλιάσεις όμως μια φωτογραφία ψηφιακή; Πώς να σώσεις ένα μικρούλι πνιγμένο; Στην καλύτερη περίπτωση, λες το πήρε ο Θεός στον Ουρανό, κοντά του· στη χειρότερη, λες ξανά για τη ματαιότητα του άγριου βίου. Για την τραγωδία της ύπαρξης. Πάντα, πάντα, μέχρι το τέλος σου, όσο κρατάει η ενσυνείδητη ζωή σου, θα καλείσαι να διαλέγεις τι γίνεται ανάμεσα στα δυο.)

Ύστερα όμως...

Ύστερα όμως, και κόντρα στη μελαγχολία του Δανού πρίγκιπα που μπαινοβγαίνει στη σκηνή με το κατάμαυρο κολάν, φτάνουν εκείνα τα μυστηριώδη χαμόγελα. Τα σύντομα, τα απερίγραπτα μελένια, τα αιφνίδια χαμόγελα του βρέφους σου και ψάχνεις: Γιατί; Σε ποιον; Πότε κι από ποιον πήρε μαθήματα ταχείας εκμαθήσεως στις σωστές αντιδράσεις; Τι αισθάνεται; Πού έμαθε την κίνηση του χαμόγελου στα χειλάκια, την κίνηση του χαμόγελου στα φρυδάκια τα σχεδόν ανύπαρκτα; Τι μνήμες μπορεί να έχει αποθηκεύσει και τι μπορεί να ονειρεύεται για να παίρνει τέτοια μορφή, τέτοια αγαλλίαση στο δέρμα, στις ακρούλες στο στόμα του; Τι μνήμες που ξεχωρίζουν το ευχάριστο, το ενοχλητικό; Είναι μονάχα ένστικτα; Πώς γίνεται; Να σου λέει με τον πειστικότατο τρόπο του: Ζήτω η ζωή, τι καλά, τι ωραία που ήρθα!

Τι ωραία η ζωή! Τι ωραία που ήρθα!

Υπάρχει για έναν φυσιολογικό γονιό μεγαλύτερη αποζημίωση από το να βλέπει να χαίρεται το παιδί του; Για μένα ποτέ και καμιά άλλη δεν είναι ως τώρα μεγαλύτερη. Ούτε ομορφιές, ούτε επιτυχίες, ούτε χρήματα, ούτε καλές σπουδές, ούτε, ούτε... Το πρόσωπο του παιδιού μου να δείχνει χαρά, για οτιδήποτε όμως χαρά, και όλα τα άλλα τα στέλνω στο πι και φι από εκεί όπου ήρθαν.

Γι' αυτό, και εκεί που λες, κοιτώντας το μωράκι μας, πόσο ταλαιπωρήθηκε στον πολύ δύσκολο, πολύωρο τοκετό μαζί με την Αλέσια και το ίδιο, που έκλαψε με πόνο ανεξήγητο και αχαρακτήριστο βγαίνοντας έξω στο φως, βλέπεις τώρα τούτη τη χαρούμενη μουρίτσα να στέλνει πρόωρα χαμόγελα χαράς, κεφιού σχεδόν, και πάει η καρδιά σου στη θέση της. Αξίζει!

Μακάρι να λέμε συχνά: αξίζει η ζωή!

Αξίζει η ζωή μου! να λέει.

Ποια μεγαλύτερη ευχή να της ευχηθώ;

Γιατί το έχουμε πολλές φορές πει, όσοι τουλάχιστον πιστεύουμε στην άλλη, τη μετά τον θάνατο συνέχεια: ο Παράδεισος, για να τον βρεις και να μπεις από την πύλη του μετά, πρέπει να αρχίζει για σένα από τώρα, από εδώ κάτω. Στα εδώ, στα γήινα.

Να τη λοιπόν τυλιγμένη με ένα άσπρο μπουρνούζι της κλινικής, τεράστιο μπουρνούζι, που θα χωρούσε να τυλίξει δυο τρία νεογέννητα ακόμη. Να τη με τα μαλλιά όρθια από το πρόσφατο λούσιμο και τις γροθίτσες μενεξεδιές από τον δικό της μόλις αγώνα, που χαμογελά. Λένε ότι είναι αντανακλαστικά τα γελάκια της· δεν το πιστεύω. Όχι, όχι, δεν το πιστεύω, το πρόσεξα! Είναι αληθινά, είναι φανερή η χαρά της. Μου το επιβεβαιώνει εξάλλου με τους μήνες όσο διαμορφώνεται ο πολύ χαρούμενος χαρακτήρας της. Ένας ευλογημένος χαρακτήρας που χαίρεται εύκολα, ενθουσιάζεται με το ελάχιστο, ναι, ήταν αληθινά τα νεογέννητα χαμόγελά της.

Δεν μπορεί, θα θυμάται τον παράδεισο. Το τυχερό αυτό πλασματάκι μπορεί ακόμη και θυμάται τον παράδεισό του, το δείχνει ο τρόπος που γλυκογελά και –αντανακλαστικά ή όχι– μας αποσβολώνει. Γιατί εμείς δεν μπορούμε να τον θυμηθούμε τον παράδεισο όπως ετούτη, η ελάχιστη επιβάτιδα, η μόλις αφιχθείσα από πάνω. Μας τσακίζει αυτή η ανημποριά μας να επιστρέφουμε, παράλληλα με την ανίκητη νοσταλγία. Νόστος και άλγος και τα δυο μάς παιδεύουν, μας εκπαιδεύουν, μας μαθαίνουν το *από πού* και το *προς τα πού* μας. Κάτι αόριστο που πότε πιστεύουμε, πότε όχι. Δεν είναι δυνατόν να πλησιάσουμε μόνοι μας. Κολλάμε στο χαμόγελο των μωρών. Και ελπίζουμε.

Δεν ξαναείδα τέτοιο χαμόγελο σε άνθρωπο ενήλικο ποτέ. Ίσως σε έναν μόνο. Κάποτε. Το κατανοώ τώρα όπως κοιτώ στα μαξιλάρια τη μικρένια, τη μικρούσκα, το μικράκι να γελά κατά τη μεριά του αγγέλου της. Τέτοιο χαμόγελο το ερωτεύεσαι γιατί θυμίζει την καταγωγή μας, την ωραιότητα των αθώων μας κήπων. Ό,τι χάσαμε, αλλά και τα έσχατα που μας αναμένουν όπως μας βεβαιώνει η πίστη μας· ενός παρελθόντος, ενός υποσυνειδήτου, ενός ασυνειδήτου που διασώζει ό,τι δεν πρέπει επ' ουδενί να ξεχαστεί. Αν ξεχαστεί αδειάζει η ύπαρξη, το σώμα γίνεται σακί χωρίς περιεχόμενο, θλίβεσαι και πλήττεις αβάσταχτα. Τι να την κάνεις την κάθε μέρα σου; Για τι να προσπαθήσεις; Η αίσθηση ματαιότητας είναι ανυπόφορη, και καλά κάνει. Είναι ανυπόφορη γιατί είναι εσφαλμένη.

Νομίζεις πως ξέχασες, αλλά δε συμβαίνει έτσι. Ξέχνα το ότι ξέχασες κάποια πράγματα… Καλώς ή κακώς εγκαταστάθηκαν μέσα σου μέχρι τον θάνατο και ακόμη πιο πέρα.

Η εγκυμοσύνη ήταν ιδανική, όλα επί εννέα μήνες κυλούσαν με τον καλύτερο φυσικό τρόπο. Τίποτα δεν άλλαξε από την καθημερινότητά της η Αλέσια, θα έλεγα μάλιστα πως έγινε πιο δραστήρια και ορεξάτη, περισσότερο κινητική, άξια και γεμάτη ιδέες. Ο τοκετός όμως κατέληξε από τη μέση του και μετά εξαιρετικά επώδυνος. Και δύσκολος, ίσως επικίνδυνος αν αντέχω να το αναλογιστώ. Κάτι με τον λώρο, τη θέση που άλλαξε το μωρό όπως αγωνιζόταν φιλότιμα να κολυμπήσει και να βγει έξω, ο παυσίπονος ορός έπρεπε να διακοπεί για να προχωρήσουν τα βήματα με άλλο τρόπο, αβοήθητα, αρχέγονα, πρωτόγονα, προαιώνια βασανιστικά. Η Αλέσια αρνήθηκε να της κάνουν καισαρική τομή και με τη μοναδική καρτερία της ρωσικής ράτσας της θέλησε με επιμονή να βγάλει από μέσα της την κόρη της φυσιολογικά. Διάβασε πως δεν κάνει καλό η καισαρική στον μακρύ θηλασμό που αποφάσισε για το παιδί της. Επέμενε να το παλέψει με κάθε τρόπο που αντέχει και δεν αντέχει ώστε να την αποδώσει στη ζωή φυσιολογικά.

Και φυσιολογικά, στους αιώνες των αιώνων, παρά τα επιστημονικά μέσα που καλπάζουν να εξελίσσονται για τη γέννα του ανθρώπου από γυναίκα, σημαίνει επώδυνα. Πολύ επώδυνα. Σημαίνει ωδίνες απερίγραπτες. Ωδίνες νομίζω πως είναι η φοβερή λέξη που αποκλειστικά στον τοκετό αναφέρεται.

Ο τοκετός κράτησε δώδεκα ώρες και οι ωδίνες κράτησαν έξι ώρες. Ο γιος μου, που όταν βλέπει ένεση στην τηλεόραση κλείνει τα μάτια του, δεν έλειψε λεπτό από κοντά. Τα έζησε όλα, με όλες τις λεπτομέρειες, προσπαθώντας να την ενθαρρύνει. Μου έλεγε αργότερα πως, από ένα σημείο και μετά, αποστασιοποιήθηκε συναισθηματικά, παράξενα, και μεταμορφώθηκε μονάχα σε εργαλείο βοήθειας. Η γυναικολόγος κάποια στιγμή βγήκε έξω στην αίθουσα αναμονής όπου αγωνιούσαμε, και μου είπε πως στο τέλος θα καθίσει σε μια καρέκλα, κατάκοπη όπως είναι από την προσπάθεια, και θα την ξεγεννήσει ο Γιώργης. Ήδη η ανατρεπτική, απίστευτη μεταμόρφωση που σου δωρίζει το παιδί σου, μεταμόρφωση στον πόνο, στη δύναμη, στην αντοχή, στην αυταπάρνηση, στην ευτυχία, γι᾽ αυτό το ζευγαράκι που πάλευε μισή μέρα στην αίθουσα τοκετών είχε ξεκινήσει.

Δε θα περιγράψω τη δικιά μας αναμονή απ᾽ έξω όσες, τόσες ώρες περιμέναμε, από τα χαράματα μέχρι αργά τη νύχτα. Καταχαρούμενη και αισιόδοξη αναμονή τις πρώτες ώρες, όταν όλα εξελίσσονταν τέλεια, απλά, και εναγώνια όσο δυσκόλευαν ξαφνικά τα πράγματα.

Το μόνο που θέλω να θυμάμαι πια είναι το πεζοδρόμιο, ένα τσιμεντένιο διαδρομάκι έξω από την κλινική, σκεπασμένο από γιασεμιά που ξεπετάγονταν από έρημους κήπους. Κατακαλόκαιρο, ο κόσμος έλειπε από τα σπίτια του στις εξοχές και τα περισσότερα παράθυρα στις μονοκατοικίες του Ψυχικού ήταν σφαλισμένα. Έξω στον δρόμο περίπου καύσωνας. Φλεγόταν το σύμπαν, ξεραινόταν το δέρμα σου, κόνταινε η ανάσα, φράκαρε η σκέψη, ενώ μέσα στο μαιευτήριο ο κλιματισμός είχε κατρακυλήσει σε πολικές θερμοκρασίες.

Περπατούσα πάνω κάτω, σαν μηχανή υπομονής, που δεν ήμουνα, και ανεβοκατέβαινα το στενό διαδρομάκι που σχημάτιζε η ανηφοριά, οι πικροδάφνες απ' τη μια, τα γιασεμιά απ' την άλλη. Κρέμονταν απ' τα κάγκελα, κουρασμένα κι αυτά από τον καύσωνα, πιο μυρωδάτα όμως από τη φοβερή ζέστη που τα άχνιζε, και μου συμπαραστέκονταν σαν αποκαμωμένοι συγγενείς. Ακίνητα στην άπνοια αλλά έντονα μυροφόρα με παρακολουθούσαν. Και προσευχόμουν. Πάνω κάτω, ξανά και ξανά προσευχόμουν και διαπίστωνα –πρώτη μου φορά τόσο συνειδητά διαπίστωνα– πόσα επίπεδα σπαραγμού, πόσα άλματα προσέγγισης, πόσα στάδια επιμονής μπορεί να έχει προσευχή από προσευχή. Πόσο απόμακρος ή κολλημένος γίνεσαι με τις λέξεις της, πόσο όντως ελπίζεις σε ανταπόκριση ή συνεχίζεις τις ανθρώπινες, άπιστες αμφιβολίες. Ακόμη και όταν πιστεύω βαθιά στην καλοσύνη και στο θαύμα του Θεού, πάλι τρομάζω μήπως η μυστήρια καλοσύνη Του, το απρόσιτο θέλημά Του επιθυμεί τώρα να περάσουμε μια δοκιμασία «για το καλό μας».

Όμως εγώ είμαι υπερβολικά λιγόψυχη. Του το εξηγώ του Θεού, γενικά Του τα λέω κάτι τέτοια, παραβλέπω πως είναι Παντογνώστης, πως όλα τα γνωρίζει από μόνος Του, με ξέρει δυστυχώς πολύ πιο πολύ από όσο ξέρω εγώ τον εαυτό μου, δεν Του κρύβομαι, και επιμένω να Του τα εξηγώ με το νι και με το σίγμα όσα έχω να Του εμπιστευτώ. Όσα τουλάχιστον θεωρώ για μένα· όσα δεν ξέρω, είπαμε, τα ξέρει Αυτός, γίνομαι από ένα σημείο και μετά κλαμένο ή θυμωμένο παιδί μαζί του. Ας μη με έπλαθε, ας μην ονομαζόταν Πατέρας μου, ας μη μου δίδασκε: Ζητάτε και θα σας δοθεί! Αυτή την ειλικρίνειά μου τουλάχιστον μου την αναγνωρίζω.

Δεν ξέρω τι λέει ο Ίδιος, πόσο είναι ασέβεια, πόσο αχαριστία και δυσπιστία στην αγάπη Του, ακόμη και στην ύπαρξή Του, όμως εκμεταλλεύομαι την άπειρη ευσπλαχνία Του, την προαιώνια επιείκειά Του, στο κάτω κάτω δεν καταφέρνω να λειτουργήσω αλλιώς.

Πάνω κάτω το τσιμεντένιο διαδρομάκι –δε μετριέται η ώρα τέτοιες ώρες–, κόβοντας κάθε τόσο γιασεμιά, αφού το όμορφο και το άρωμα είναι παρηγοριά όταν υποφέρουμε. Μετά ανακάλυψα κι έκοβα κλαδιά από κάποια σκουρόχρωμα δέντρα, σαν χαμηλά έλατα, σαν παράξενα κυπαρίσσια, μικρά κλαδιά που μύριζαν έντονα κυπαρίσσι μαζί με λεμόνι· ένα άρωμα λεμονιού έντονο που πρώτη φορά το βρίσκω να συνδυάζεται με κυπαρίσσι, θυμίζει το λεμόνι που μυρίζουν τα αντικουνουπικά.

Προσευχόμουν πεισματικά, αναγκαστικά, από ένστικτο επιβίωσης, έτσι όπως αρπάζονται από κάποια λιθάρια όσοι κατρακυλούν σε γκρεμό. Στην Παναγία μας, στον Χριστό, σε όλους τους αγίους που έχω δέσει σχέση μαζί τους. Ποτέ μου δε γίνεται να μεταφέρω, να αναφέρω τις προσευχές της καρδιάς, είναι ό,τι προσωπικότατο έχουμε. Ηχούν αλλιώς άμα περιγράφεις τέτοια, ηχούν γελοία, μελό έως σαχλά. Καμία σχέση αυτό που συμβαίνει στη βαθιά ψυχή άμα ικετεύεις, και μάλιστα σε τέτοιες ακραίες περιστάσεις. Είναι καταστροφική κάποτε η εξωστρέφεια. Μόνο εσύ κι ο Θεός τα ξέρετε και τα μοιράζεστε αυτά. Ειδάλλως φτωχαίνουν και φτηναίνουν. Το ίδιο όπως τα ερωτικά λόγια που ανταλλάσσεις εν θερμώ και προσπαθείς μετά να τα δημοσιοποιήσεις. Ούτε γίνεται, ούτε επιτρέπεται! Τα απαγορεύει μια πνευματική αισθητική.

Ήταν τα πάντα αργόσυρτα, περίπου ακίνητα τα πάντα, προχωρημένο απόγευμα Τρίτης, μιας Αθήνας που σύμπασα σχεδόν απουσίαζε σε διακοπές ή έμενε κατακλεισμένη στα σπίτια με κλιματιστικό, προκειμένου να επιζήσει από τη ζέστη. Δεν είχε ακόμη νυχτώσει, ρόδιζε γενικά ο κόσμος, η πάχνη σκέπαζε κι έκρυβε με υγρές γάζες τον Υμηττό, ο θόλος και οι ορίζοντες έπαιρναν εκείνο το ξέχωρο ροζ που έκανε τους ρομαντικούς ποιητές του μεσοπολέμου να μιλούν για μενεξεδένια πολιτεία. Πάντοτε μπορεί να είναι μενεξεδένια η Αθήνα, κάποιες σπάνιες έστω βραδιές, κι ας κατάντησε χαώδης, κι ας ασχήμυνε· η δικιά της η ομορφιά δεν επηρεάζεται από τη δικιά της ασχήμια.

Ο ελάχιστος άνεμος έπεσε, η ζέστη με την πτώση κάθε

ριπής, κάθε πνοής χειροτέρευε, τα τσιμεντένια κτίρια αντανακλούσαν σαν θερμοσυσσωρευτές την τρομερή φλόγα της μέρας. Δύο Αυγούστου του 2016. Δύο Αυγούστου του 2016. Από τις θερμότερες της χρονιάς.

Αν κάποια στιγμή κάτι μικρό εμφανίζεται στην ακινησία και πνέει, θυμίζει πως *Ο Θεός δεν είναι στην μπόρα και την καταιγίδα, δεν είναι στον σαματά του κατακλυσμού, αλλά στην αύρα*. Το λέει νομίζω ο Προφήτης Ησαΐας, και συλλογίζομαι σε τι καυτή έρημο έζησε κι εκείνος ο άγιος για να φτάσει να το πει έτσι.

Συμπτωματικά, εντελώς συμπτωματικά, στο ίδιο μαιευτήριο είχα γεννήσει κι εγώ τον Γιώργη. Ανεβήκαμε από τη Ρόδο στους γονείς μου για τον τοκετό. Σ' ένα δωμάτιο, πάνω απ' το πεζοδρόμιο όπου τριγυρνώ και αγωνιώ για το δικό του παιδί τώρα, κάποτε τον γέννησα.

Πάνω κάτω στο ολάδειο στενό πεζοδρόμιο, με γιασεμιά στη χούφτα μου, με λεμονάτα κυπαρίσσια, τα ανάσαινα και τα μάραινα, έκοβα πάλι καινούργια. Πού και πού γύριζα πίσω κι έμπαινα στην ξεπαγιασμένη ισόγεια αίθουσα αναμονών και έδινα να τα μυρίσουν η Νατάσα, η συνεχώς δακρυσμένη Μαριλένα, ο Μιχάλης, που υπέφεραν κι αυτοί κι αγωνιούσαν με καρφωμένα τα μάτια στη γυάλινη πόρτα των ειδήσεων. Εδώ και ώρες δεν έβγαινε πια για μας κανείς. Νοσοκόμες την άνοιγαν, μαιευτήρες με σκουφάκι εμφανίζονταν, συγγενείς πετάγονταν και έτρεχαν κοντά, οι περισσότεροι, σχεδόν όλοι αγκαλιάζονταν ύστερα από όσα άκουγαν, έδιναν μεταξύ τους φιλιά και ευχές, έτρεχαν στο ασανσέρ να ανεβούν σε δωμάτιο κάπου πάνω, ένας νεαρός πατέρας, συγκινημένος και αμήχανος, έψαχνε τι ακριβώς αισθάνεται.

Για εμάς πια κανείς...

Το αυγουστιάτικο μωρό μας στον αγώνα του. Ίσως τα πιο δύσκολα τα περνούσε εκείνο. Όχι, δεν κερδίζεται απλά και εύκολα η ζωή σου. Όσο κι αν παλέψουν για σένα η μαμά κι ο πατέρας σου, δε θα μπορέσουν να πάρουν πάνω τους το δικό σου μερίδιο στον αγώνα. Το εισιτήριο να έρθεις ανάμεσά μας είναι πάντα ακριβούτσικο. Το μαθαίνεις από την πρώτη σου αναπνοή, πολύ πριν από την πρώτη σου αναπνοή που παλεύεις τώρα να ανασάνεις. Δεν είναι τυχαίες αργότερα οι ακατανόητες και ξαφνικές μελαγχολίες του ανθρώπου. Γνωρίζει πολύ περισσότερα, βλέπεις, από όσα γνωρίζει ότι γνωρίζει. Θυμάται πολλά που θεωρεί ότι ξέχασε η συνείδηση, που νομίζει πως δεν έγιναν.

Μετά νύχτωσε. Νύχτωσε με μια νύχτα πιο ακίνητη, θερμή και υγρή από τη μέρα. Η Αθήνα μισοκρύφτηκε με ελάχιστα χαμηλωμένη τη φλόγα της στην υψικάμινο του εικοσιτεtραώρου. Η βάρβαρη ζέστη έγινε τώρα υπόκωφη, ύπουλη και με ατμούς. Άναψαν φώτα στα παράθυρα των κτιρίων, μακριά στους ουρανοξύστες της Πανόρμου, της Μεσογείων, των Αμπελοκήπων, στα φανάρια λίγων αυτοκινήτων που συνέχιζαν να κυκλοφορούν. Στον θολό Υμηττό στραφτάλιζαν αντί για άστρα οι κεραίες, ένα δάσος από κεραίες καλύτερα, και πίσω μας, μόνο με τη μνήμη μπορούσες από εδώ να το δεις, θα έλαμπε ολόφωτος ψηλά στον Ιερό Βράχο του ο Παρθενώνας της Αθηνάς, στέμμα μιας πολιτείας που πτωχεύει και πάει, μιζερεύει και πάει, αλλά αυτό της το στέμμα ποτέ δεν της έπεσε.

Στη μεγάλη ισόγεια αίθουσα αναμονής χαμήλωσαν λίγο τα ψυχρά φώτα κι είχαμε πια απομείνει εμείς που περιμέναμε την Αλέσια να ελευθερωθεί. Πάψαμε να φλυαρούμε, πάψαμε να αλληλοστηριζόμαστε, να αλληλοπαρηγοριόμαστε, βυθίστηκε ο καθένας στην αγωνία του. Οι απαισιόδοξες σκέψεις είναι καλύτερο να μη μοιράζονται. Πονάς και λυπάσαι να φορτώσεις τους φόβους σου στον άλλον, το θεωρείς και δυσοίωνο αν ειπωθούν. Μου έχουν συμβεί άσχημα γεγονότα που, παρά τον εξωστρεφή χαρακτήρα μου, έχω αναβάλει λίγο, όσο άντεξα δηλαδή, να τα ανακοινώσω. Όσο δεν τα ανακοινώνω, λέω, μπορεί και να μην έχουν συμβεί. Θα πάρουν υπόσταση με τη διήγηση. Ας περιμένω. Μπορεί να ξυπνήσω…

Όλοι οι άλλοι συγγενείς, άλλων μωρών, που απ' τα χαράματα κι αυτοί περίμεναν για το δικό τους παιδάκι, εξαφανίστηκαν, έφυγαν χαρούμενοι με μπαλόνια ροζ ή γαλάζια και ανθοδέσμες στα χέρια. Ανέβηκαν στους ορόφους ανακουφισμένοι και γελαστοί.

Μείναμε μόνο εμείς πλάι στην τεράστια τζαμαρία που βλέπει στον δρόμο, να κοιτούμε ανάστροφα προς τη γυάλινη πόρτα των ειδήσεων, το είδωλό της δηλαδή όπως αντικαθρεφτίζεται στην τζαμαρία. Την πόρτα εκείνη που μας χωρίζει από τη ζόρικη πατρίδα των τοκετών, κοντά κι απόμακρα, άηχα και μονωμένα. Άγνωστη κι άφταστη για μας πατρίδα που μας κατέχει απόψε εντελώς, που άφωνη και αόρατη μας ορίζει. Η πόρτα για μας δεν ανοίγει από τις έξι το απόγευμα. Κανείς τους δε φάνηκε, ούτε η καλή ανθρώπινη γιατρός, πράγμα που μας ανησυχεί όλο και χειρότερα. Πλησιάζει πια δέκα, είμαι όρθια απ' τις τέσσερις το πρωί, κάποιες ώρες δεν έχουν ώρα.

Είπα στους άλλους πως υπέφερα τώρα υπερβολικά από τον σφιγμένο αυχένα μου, το αυχενικό σύνδρομό μου έχει απόψε φουντώσει, οι καρέκλες όπου καθόμασταν μας φαίνονταν σκληρές σαν από άγρια πέτρα και είχαμε πόνους εδώ κι εκεί στο κορμί. Η Μαριλένα νόμιζε πως είχε ξαφνικά πονόλεμο μάλλον από το ξεραμένο της στόμα, η Νατάσα κι εγώ ψάχναμε για τσάι, ο Μιχάλης έκανε πως φεύγει για μια δουλειά, αλλά πήρε τον Πέτρο και ξανάρθαν. Όσοι τηλεφωνούσαν, ιδίως από το εξωτερικό κάθε λίγο και λιγάκι η άλλη γιαγιά η Κατερίνα, άρχισαν να τρελαίνονται από ανησυχία. Το κορμί μας, σφιγμένο από το άγχος, γινόταν όλο πιο σκληρό, μαρμάρινο, και γι' αυτό ευάλωτο. Πονούσα παντού. Είπα πως ήταν καλύτερα να πάω να κάτσω για λίγο μες στο αμάξι μου που είχα παρκάρει σχεδόν απέναντι. Να πάω να χωθώ στο οικείο σκοτάδι του, να ακουμπήσω την πλάτη μου στο μαλακό κάθισμα που δεκαετίες τώρα έχει πάρει το σχήμα της πλάτης μου, μήπως συνέλθω. Μόλις μάθαιναν κάτι, η Νατάσα θα μου έκανε αναπάντητη να πεταχτώ.

Πήγα· το απαλό σκοτάδι του αγαπημένου παμπάλαιου αυτοκινήτου μου με ανακούφιζε. Έγειρα το κεφάλι μου πίσω στη θέση του οδηγού, τον καταπονεμένο αυχένα του χρόνιου αυχενικού μου· μπρος από το παρμπρίζ ο δρόμος του σιωπηλού Ψυχικού, άδειος τώρα, προχωρούσε στενός σε σκοτεινό ήρεμο ποτάμι. Ήρεμο ποτάμι και η νύχτα όλη ήρεμη. Χριστέ μου, τι μπορεί να κρύβει μια ήρεμη νύχτα;... Ησυχία. Ησυχία σχεδόν μεταφυσική. Ο θόρυβος και το βουητό έρχονταν μονάχα από το μυαλό μου και κάπου από την κορυφή του κρανίου μου. Ακόμη και η Λεωφόρος Κηφισίας παραδίπλα βουβάθηκε. Στο κεφάλι μου μέσα ήταν ο θόρυβος. Βουητό από όσα σε δύσκολες ώρες ελπίζεις και φοβάσαι, φοβάσαι και ελπίζεις, τα μεγαλοποιείς, τα ζωντανεύεις, τα κινητοποιείς, τα υπερβάλλεις στο τέλος με τόσο επίμονη ένταση, που παλεύουν με κρότους και βουή για το τι θα σε πείσει να το πιστέψεις.

Να μη σκέφτεσαι, λέει!... Να αδειάζεις το μυαλό, βοηθάει. Κι εγώ το συμβουλεύω σε άλλους, ποιος δεν το συμβουλεύει σε άλλους όταν το πρόβλημα δεν τον πολυαφορά; Λες και είναι εύκολο να αδειάσεις το κεφάλι σου όταν καρδιοχτυπάς. Όταν καίγεσαι για μια έκβαση.

Θαυμάζω όσους λένε πως, όταν θέλουν, μπορούν να σταματούν τις κακές τους σκέψεις, αν και δεν τους πολυπιστεύω. Ίσως να είναι και αδιάφοροι χαρακτήρες όσοι παλεύουν εύκολα τις μεγάλες αγωνίες. Ο πόνος στον αυχένα και στους ώμους άρχισε να κυλάει στον σκελετό μου τώρα σαν πιο ανεκτό μούδιασμα και ελάχιστα ανακουφίστηκε. Έκλεισα τα μάτια, άνοιξα τα μάτια, το σκοτεινό ποτάμι του δρόμου έξω απ' το παρμπρίζ απέναντι ανηφόριζε. Κατέβασα το παράθυρο πλάι. Οι πικροδάφνες των πεζοδρομίων ευωδίαζαν με τη θερμή υγρασία πιο έντονα, άρωμα μελιού και κάτι άλλο, κάτι μοβ-ροζ· ναι, έχουν ορισμένο χρώμα τα αρώματα, βαρύ και μεθυστικό, τόσο μεθυστικό που δε σε ειρηνεύει. Είναι από τις ευωδιές που βάζουν φωτιά στην καρδιά και στο δέρμα σου αυτή της πικροδάφνης, της σφάκας όπως τη λέμε στα Χανιά.

Άπλωσα το δεξί μου χέρι στα τυφλά και άγγιξα το κουμπί του ραδιοφώνου. Κάποια στιγμή, αυτή τη στιγμή την άχρονη, συνειδητοποίησα τι ώρα είχε φτάσει, το έγραφε με πράσινους φωσφορικούς αριθμούς το ρολόι του αμαξιού πλάι στο ράδιο. Τέτοια ώρα διαβάζουν την Παράκληση στην Παναγία Θεοτόκο στους ναούς. Δεκατέσσερα βράδια πριν από τον Δεκαπενταύγουστο έτσι γίνεται. Σε άλλες ενορίες ξεκινούν στις εφτά, σε άλλες αργότερα. Οι Παρακλήσεις είχαν αρχίσει από την προηγουμένη, πρώτη Αυγούστου, οι καθημερινές Παρακλήσεις μέχρι τον Δεκαπενταύγουστο.

Άκουγα χαμηλά.

Μου έκανε καλό.

Πάντα η ήπια, μονότονη αιωνιότητα των ύμνων κάνει καλό στο νευρικό σύστημα, είτε πιστεύεις στον Θεό, είτε δεν πιστεύεις. Η αθανασία που διψάμε, και δίχως αυτήν τρομάζουμε, μας ακουμπά με στίχους βέβαιους, μονότονους και καθησυχαστικούς. Άλλωστε πρόκειται για αριστουργήματα ποίησης που και μόνο γι' αυτό αναπαύουν την ταραχή της ύπαρξής μας.

Και άρχισαν μετά τα Χαίρε.

Κι εκεί που έψαλλαν...

Χαίρε, δένδρον αγλαόκαρπον, εξ ου τρέφονται πιστοί
Χαίρε, ξύλον ευσκιόφυλλον, υφ' ου σκέπονται πολλοί...

…η άκαρδη γυάλινη πόρτα απ' τον διάδρομο των τοκετών άνοιξε επιτέλους και στάθηκε ο Γιώργης τυλιγμένος με τα ρούχα του χειρουργείου κι ένα χαμόγελο ολόλαμπρο από το ένα αυτί μέχρι το άλλο.

«Γεννήθηκε!» έκανε.

Η Νατάσα χτύπησε αυτόματα το κινητό μου με ευτυχισμένες φωνές, δεν καταλάβαινα τι ακριβώς φώναζε, αλλά ο τρόπος ο τρισευτυχισμένος που τα φώναζε με έκανε βέβαια να καταλάβω. Όρμησα έξω, χωρίς να κλειδώσω το αυτοκίνητο, ούτε σήκωσα το κατεβασμένο παράθυρο, δε θυμάμαι καν αν έγειρα πίσω την πόρτα, μόνο να τρέξω προς την κλινική. Έτρεξα μέσα από τις πικροδάφνες του πεζοδρομίου, που στα Χανιά λέμε σφάκες, με γραντζούνισαν στο μέτωπο, στα μάγουλα, μου φάνηκε πιο γρήγορο να χωθώ και να τρέξω από εκεί μέσα, σκαρφάλωσα τα σκαλιά, διέσχισα την αίθουσα, όρμησα στους δικούς μας, όρμησαν κι αυτοί πάνω μου, όλοι μαζί ορμήσαμε στην κλειστή πάλι γυάλινη πόρτα και περιμέναμε με άλλου είδους απερίγραπτα καλή αδημονία πια. Τέτοιες ώρες δεν έχουν ώρα, τέτοια δευτερόλεπτα δεν είναι δευτερόλεπτα, η μοιραία πόρτα άνοιξε και φάνηκε ο γιος μου, ακόμη ντυμένος με τη στολή χειρουργείου, μαζί με την κόρη του σε καροτσάκι. Ακούστηκαν πρώτα οι απαλές ρόδες. Απαλές, απαλές σαν να κυλούν σε σύννεφα, σε πουπουλένιο χαλί. Πόση ώρα κάνουν δυο μάτια να ορμήσουν σε κάτι που περιμένεις όπως την περιμέναμε; Υπάρχει τρόπος να το αναπαράγεις; Έχει ανακαλυφθεί τέτοιο χρονόμετρο; Δεν υπάρχει.

Θαμπώθηκα!

Έχετε κάθε δικαίωμα να πείτε πως έτσι βλέπουν όλοι οι γονείς και όλες οι γιαγιάδες το μωρό τους, πως τα νεογέννητα είναι τα καημένα ασχημούλικα απ' την ταλαιπωρία. Είναι ζαρωμένα, μελιτζανιά, βασανισμένα και μάλλον ενοχλημένα για όσα τους κάνανε. Κάτι λίγο καλύτερο από εκείνο το ασχημούλι που βλέπαμε κατά την εγκυμοσύνη από υπέρηχο σε υπέρηχο. Έχετε δίκιο, έχετε δίκιο απόλυτο, αυτό περιμέναμε κι εμείς. Ένα ταλαιπωρημένο, ζαρωμένο, μοβ ζυμαράκι. Ήμασταν προετοιμασμένοι.

Όμως το δικό μας κοριτσάκι ήταν άλλο πράγμα!... Ρόδινο, λευκό! Φωτεινό και μάλλον ευχαριστημένο. Με ανοιχτά τα μπλε ματάκια να παρατηρούν ήρεμα και να κουνά σιγά τα χέρια. Μέσα στη λευκή πετσέτα που το τύλιγε, ήταν ένα αγγελάκι από γιασεμί. Και ευγενική, περίεργο αλλά αυτή η λέξη αυτόματα μου ήρθε, αυτή ήταν μια σοβαρή μου πρώτη εντύπωση, μια περίεργη διαπίστωση που ποτέ βέβαια δεν είχα προετοιμάσει. Ναι! Έδειχνε ευγενική... Ποτέ δε θα το ξεχάσω αυτό.

Δεν υπάρχει μωρό ωραιότερο από το δικό σου! Το δικό μας όμως αντικειμενικά ήταν το ωραιότερο... Το επιβεβαίωνε ο ένας στον άλλον και ο Γιώργης το κατακύρωνε σοβαρά, με περηφάνια που αγωνιζόταν να συγκρατιέται σεμνή: «Ναι, καλή είναι!»

Δεν ξέρω, πώς να ξέρω πόσο κράτησε τούτη η πρώτη γνωριμία μας. Τούτη η πρώτη συνάντηση στον χλωμό διάδρομο με την εγγονή μου. Είπαμε, τα τρομερά ανατρέπουν στο πιτς φιτίλι τον γνωστό χρόνο. Μπορεί να την κοιτάζαμε ώρα πολλή, αλλά πάλι όχι, δεν επιτρεπόταν. Δεν κάνει να μένει για πολύ εκτεθειμένο ένα τόσο νεογέννητο. Πιο νεογέννητο δεν υπάρχει.

Σύντομα η υπομονετική νοσοκόμα το σκέπασε με ένα καπάκι σαν να το έκλεινε σε τάπερ και είπε πως φτάνει, αρκετά, θα μας το έπαιρναν πάλι μέσα να το εξαφανίσουν και να το φροντίσουν.

Αχ, ας το έπαιρναν τώρα πια όπου ήθελαν! Ήμασταν τώρα πια υπερβολικά γενναιόδωροι, άνετοι, ανεκτικοί. Τώρα πια το μουτράκι του, το ύφος του, το βλέμμα του το μπλε τα είχαμε γνωρίσει. Γνωρίζεις κανένα ποτέ αν δεν του πάρεις μια εικόνα του, έναν ήχο του, το βλέμμα, την κίνησή του, κάτι του; Ήδη σε ένα λεπτό το είχαμε γνωρίσει εκείνο που επί εννέα μήνες φανταζόμασταν, ονειρευόμασταν, φαντασιωνόμασταν μια έτσι και μια αλλιώς. Το λαχταρούσαμε, αλλά μας ήταν ένα άγνωστο ξένο πλάσμα. Το σχεδιάζαμε ώρες ώρες ακόμη και τρομαχτικό, τόσο άγνωστο που ήταν. Ας το έπαιρναν λοιπόν μέσα στο τάπερ να το φροντίσουν εκείνοι οι καλοί ειδικοί, που ξέρουν τέλεια το πώς, σας ευχαριστούμε, σας ευχαριστούμε, ξέρετε εσείς... Έχεις απόλυτη κατανόηση άμα είσαι πολύ ευτυχισμένος.

Και μετά, λίγη ώρα μετά, μας έφεραν στον ίδιο άδειο, σιωπηλό, γαλανό, ωχρό διάδρομο σε φορείο το εξιλαστήριο θύμα της πιο αγωνιώδους υπόθεσης. Την κατάχλωμη, βασανισμένη, πολύ πληγιασμένη Αλέσια, με ορούς, λευκοπλάστες και σωληνάκια, πιο λευκή από το σεντόνι της, πιο κουρασμένη κι απ' την ψυχή μου, να μας κοιτά με τα ωραία τα ζαρκαδένια μάτια της κομμένα, πιο μεγάλα και υγρά. Μια εικόνα πόνου, σφαγής και υπεράνθρωπης δύναμης που μπορούσε πια επιτέλους να γίνει αδυναμία, να αφεθεί.

«Είναι ίδια ο Γιώργος», μου ψιθύρισε.

Κι εγώ άρχισα να κλαίω για τα όσα πέρασε μέχρι να φτάσει και να μου πει τη φράση ετούτη. Έσκυψα και της φίλησα τα μακριά της μαύρα μαλλιά, το τρυπημένο της άξιο, πανάξιο χεράκι αφημένο στο πλάι του φορείου. «Κορούλα μου, κορούλα μου, θα τα ξεχάσεις», της έλεγα... Ακόμη ένα ψέμα πλάι σ' εκείνα που επί μήνες την παραμύθιαζα, πως η γέννα είναι απλή, πως ελάχιστα θα υποφέρει. Θα τα ξεχάσεις! – εγώ δεν τα ξέχασα. Μου έγνεφε αδύναμα ναι, με δακρυσμένα, κουρασμένα μάτια, ενώ στράφηκε λίγο προς τη Νατάσα, την αδελφή της, και της ψιθύρισε με παιδικό παράπονο: «Δε βασανίστηκα ποτέ μου τόσο...»

Πάλι μας πήραν και την Αλέσια με το φορείο προς τα πίσω, από αίθουσα σε αίθουσα την τραβούσαν, να μικραίνει κι άλλο η φιγούρα της, να της κάνουν κι άλλα ιατρικά και τέτοια, στεκόμουν στην πρώτη πόρτα και τη χαιρετούσα, μου έγνεφε κι αυτή όπως κυλούσε όπισθεν με το χεράκι της. Δεν άντεχα, όχι δεν άντεχα τον παιδεμό της. Η οργή Θεού της *Εξόδου* από τον Παράδεισο πάλι ενίκησε τις επιστήμες. Κι αυτό με πλήγωνε, με παραπονούσε, θύμωνα τολμώ με ανευλάβεια να πω, μπορούσα πια να κλάψω ελεύθερα για τη μοίρα την ευτυχισμένη, την ευνοημένη, την αιμόφυρτη μοίρα των γυναικών.

Στο σπίτι μου γύρισα κάποτε μετά τα μεσάνυχτα. Διασχίζοντας σαν ρομπότ έρημους δρόμους, έρημη κάψα, υγρά σκοτάδια, πολιτεία άδεια. Τι σκέφτεται, τι περνάει από τον νου μας όταν ζούμε τέτοιες στιγμές, όταν μόλις πριν από λίγο ξεφύγαμε από τον φόβο του Άδη και βγήκαμε έξω σε μια γελαστή, έναστρη νύχτα καλοκαιριάτικη. Συνηθίζουμε στα βιβλία μας να περιγράφουμε με πολλές, έγχρωμες λεπτομέρειες τις σκέψεις του ζόφου, της αγωνίας, της απόγνωσης, λες και η λογοτεχνία ανακαλύφθηκε κάποτε ακριβώς γι' αυτό, σαν μπαλάντα του ανθρώπινου πόνου, σαν εξομολόγηση που, αν δεν εκδηλωθεί, θα στραφεί μέσα μας φίδι κολοβό να μας φαρμακώσει. Γι' αυτό εν πολλοίς γράφουμε όσοι γράφουμε, γι' αυτό εν πολλοίς διαβάζουμε βιβλία.

Όμως, όταν είσαι σαν εμένα απόψε, τέτοια θερμά μεσάνυχτα, τόσο ανακουφισμένη, έτσι ευγνώμων που ζω, έτσι σημαντικά και πεντάμορφα που χώρο δε διαθέτει ο νους μου αρκετό να τα χωρέσει, τι μπορεί να σκέφτομαι; Κομματιαστά έστω, σε διαλυμένο παζλ έστω, ασυνάρτητα έστω, ενώ οδηγώ κατά το σπίτι μου; Πώς γίνεται να τα ανακαλέσω σήμερα και να τα θυμηθώ; Λίγα, ελάχιστα και γενικά μπορώ. Πάντα η περιγραφή της ευτυχίας έφερνε σε αδεξιότητα όσους γράφουν για τα ανθρώπινα συναισθήματα και τις περιπέτειές τους. Και στη ζωγραφική ακόμη, το να αποδώσει ο ζωγράφος σε πίνακα ένα ανθρώπινο χαμόγελο, ένα από καρδιάς γέλιο, δεν είναι εύκολη υπόθεση.

Άνοιξα την κάτω εξώπορτα, μπήκα στο ασανσέρ, βγήκα στον όροφό μου, ξεκλείδωσα την πόρτα μου, την έκλεισα και την ξανακλείδωσα, και έπεσε πάνω μου η σφαλισμένη εδώ μέσα ζέστη, σαν σκυλί πεινασμένο που λησμόνησα, έπεσε πάνω μου και το αχνό φως από ένα ξεχασμένο αμπαζούρ.

Προχώρησα μέσα στο διαμέρισμα βγάζοντας τα παπούτσια μου, πετώντας τα, ξυπόλυτη, πετώντας τα ρούχα μου ένα ένα. Τα άφηνα να κυλιούνται όπου έπεφταν στο πάτωμα, έβγαζα ό,τι φορούσα κι ας στεκόμουν δίπλα στο εικονοστάσι· μπροστά στις άγιες μαρτυρικές μορφές απέμεινα γυμνή. Όλα, όλα ήταν απόψε περιττά, μάταια και ενοχλητικά, όλα τα αντικείμενα ανυπόφορα, μόνο το γυμνό σώμα υπάρχει. Το ιερό μας γυμνό, άοπλο, χρήσιμο σώμα, το χωματένιο μας σώμα, παρά την κατάρα του, είναι ιερό. Εφόσον αντέχει να πονάει έτσι, είναι ιερό. Αφού του ζητάνε, του ορίσανε να υποφέρει τόσο, είναι ιερό. Έτσι όπως πόνεσε η Αλέσια απόψε και που το έζησα τόσο σιμά, τόσο ατέλειωτα, τόσο τρομαγμένα από ένα σημείο κι ύστερα. Γιατί στη δικιά μου, πολύ δύσκολη γέννα του γιου μου, με το να είσαι στο μάτι του κυκλώνα και μέσα στο πηγάδι με το αίμα σου, δεν είσαι σε θέση να έχεις βαθύτερη επίγνωση, μεθάς από πόνο, δεν παρατηρείς το ίδιο. Η ίδια η φύση, η σπλαχνική και άσπλαχνη φύση κάνει ό,τι μπορεί, ό,τι καταδέχεται να μπορεί προκειμένου να σου χαρίζει πού και πού κανένα παυσίπονο, κανένα παυσίλυπο.

Ναι, ναι, ό,τι τυραννιέται τόσο όσο ένα γυναικείο σώμα που γεννά είναι ιερό. Καθόλου απόψε δε με νοιάζει να βγω έξω χωρίς ούτε ένα ρούχο να με σκεπάζει. Να ξαπλώσω κατάχαμα στη βεράντα γυμνή μήπως και ανακουφιστεί το σφίξιμο στον αυχένα και στη σπονδυλική στήλη, στα νεφρά μου. Τίποτα δεν είναι για να ντρέπεσαι ύστερα από τέτοιες ώρες που έζησα όλη μέρα.

Ποτέ μου δεν ένιωσα τόσο βέβαιο ετούτο το αίσθημα, ετούτη την απρόσκλητη, άγνωστη γνώση στο δέρμα, στις φλέβες, στους τένοντες, στις αρθρώσεις, στα νεφρά, στο στομάχι, και σε όλα τα έξω και μέσα μου όργανα. Ιερό γυμνό σώμα, που με πόνους στους ώμους, στον σβέρκο μου, στη ραχοκοκαλιά, στις πατούσες, στα δάχτυλα του χεριού, στην παλιά τομή ανάμεσα στα πόδια από τη γέννα του Γιώργη κάποτε, τότε, σε μια μια από τις τρίχες του κεφαλιού, και πιο πολύ στις ρίζες τους, το περιφέρω, περιφέρομαι και κλαίω στο μισοσκότεινο διαμέρισμα γυρεύοντας το νερό.

Μια χαλασμένη βρύση από το μπάνιο στάζει νυχθημερόν εδώ και χρόνια και με καθοδηγεί απόψε να πηγαίνω στα τυφλά σχεδόν προς το μέρος της. Δεν την επισκευάζω γιατί μου αρέσει η παρουσία της στο σπίτι. Λένε, οι Γιαπωνέζοι νομίζω, πως όταν σ' ένα σπίτι στάζει μια βρύση φέρνει καλή τύχη. Θέλω να το πιστεύω χωρίς να το πιστεύω, ο πιο ειλικρινής λόγος άλλωστε και πάντα είναι πως βαριέμαι να φέρω υδραυλικό.

Πηγαινοέρχομαι στο νυχτερινό μισοσκόταδο και ψάχνω κάτι που ξέρω καλά πού βρίσκεται, πού στάζει, πού πέφτει το μπάνιο και η μπανιέρα, ξέχασα τα πάντα όσα ξέρω απόψε. Αν δεν έφεγγε το ξεχασμένο αχνό αμπαζούρ που από χθες ξέχασα αναμμένο, θα κουτουλούσα από τοίχο σε τοίχο και ίσως και να μου άρεσε. Ένας τέτοιος πόνος από κουτουλιά μειώνει τον μέσα πόνο από αγωνία που σκάλωσε, και από ευτυχία που δε χωράει.

Έχει αλλάξει, έχει μακρύνει, έχει μπερδευτεί, έχει γίνει λαβύρινθος το διαμέρισμά μου…

Ιερό σώμα, σε κάθε ηλικία, σε κάθε κύκλο ηδονής, σε κάθε κύκλο αρρώστιας, θανάτου, κούρασης, υπερκόπωσης, αρθρίτιδας, τενοντίτιδας, πληγών, αγρύπνιας και μαρτυρίου, στο σπίτι όπου μένω απόψε με πρωτόγνωρα αισθήματα περιφέρομαι.

Σώμα φάτνη και σώμα φέρετρο, φέρετρο και φάτνη…

Να φτάσω στο μπάνιο επιτέλους, να ανάψω επιτέλους ένα φως, να βρω τη βρύση που στάζει νυχθημερόν επί χρόνια, να ανοίξω δυνατά τη βρύση με το νερό. Να το ρίξω πρώτα από τον αυχένα, την πλάτη, με μάτια κλειστά. Αν δεν πέσει πάνω μου νερό, πολύ νερό, πολύ νερό όμως, θα σβήσω.

Ο ουρανός στο πιάτο μας

Αμέσως μετά το μεγάλο σοκ του τοκετού τα πράγματα αρχίζουν από πρωτόγονα, πρωτόγνωρα και αχαρακτήριστα να μας γίνονται σχετικά χαρακτηρισμένα και περισσότερο οικεία, κάτι επιστρέφει ανακουφιστικά πίσω σε μια κανονικότητα, σε όσα γνωρίζαμε από χρόνια και ξάφνου, με τούτη την αφάνταστη αλλαγή, τα μπερδέψαμε εντελώς.

Ποιος μπορεί ολότελα να κατανοήσει, να αναλύσει και να κατατάξει το άπειρο γεγονός της δημιουργίας του ανθρώπου, όπου δημιουργός δεν είναι μόνο ο Θεός, αλλά κι εσύ ο ίδιος με μια συμμετοχή σου που σε ξεπερνά, σχετικά ελεγχόμενη και πιο πολύ ανεξέλεγκτη. Το μυστήριο ήρθε και μας κατακυρίευσε εδώ και εννέα μήνες και μας ξεναγεί δίχως ξεναγό ενεούς στους μισοσκότεινους λαβυρίνθους του. Το ακολουθούμε, θέλουμε δε θέλουμε, δεν υπάρχει άλλη επιλογή.

Ακούω στο τηλέφωνο τον γιο μου να λέει σε φίλο του: «Ζούμε και το παλεύουμε μέρα τη μέρα». Γελώ μέσα μου και συγκινούμαι. Μέρα τη μέρα προσπαθούν να τα βγάλουν πέρα, σαν ερευνητές σε ένα λεπτεπίλεπτο εργαστήριο θαυμάτων, σαν ναυαγοί σε κάποιο επικίνδυνο νησί ευτυχίας. Το ελάχιστο λάθος τους ακόμη φοβούνται πως θα το πληρώσουν ακριβά.

Μυστήριο! Έννοια και λέξη που φοβίζει, που ξενίζει, που ελπίζει, που σώζει, που σμιλεύει, που μυεί σ' αυτά όπου καμιά γνώση του μυαλού δεν τα καταφέρνει καλά, δεν τα κατανοεί επαρκώς. Το πολύ δε χωράει στο λίγο. Κι αυτό που μας συμβαίνει τώρα είναι παραπάνω από πολύ για τις δυνατότητές μας και όσα θεωρούμε πως ερμηνεύουμε. Του αφηνόμαστε, μέρα τη μέρα όπως είπε κι ο Γιώργης, με δέος, να δούμε πού θα μας βγάλει εντέλει και τι θα φανερώσει στη νηπιακή μας αντίληψη. Ναι, τώρα δεν είναι νήπιο το νήπιό μας όσο νήπια έχουμε γίνει εμείς. Αυτό το τοσοδούλι πλασματάκι φαίνεται να γνωρίζει κατά πολύ καλύτερα τι θέλει και τι πρέπει να κάνει με το σώμα του, τι να μας πείσει να πράξουμε. Το ακολουθούμε σαν οπαδοί και υπήκοοί του.

Εγώ γέννησα τον γιο μου μια εποχή που το τεράστιο μπεστ σέλερ του δρος Μπέντζαμιν Σποκ εκπαίδευε τους γονείς, ιδίως τις μαμάδες, σε μια πιο αυστηρή αμερικανική πειθαρχία. Αν και θεωρήθηκε επαναστατικό και απελευθερωμένο σε σχέση με τις παλαιότερες συντηρητικές μεθόδους αγωγής παιδιών, και αυτό το βιβλίο σε παρότρυνε προς μια πρώιμη εκπαίδευση των μωρών, μια πρακτικότερη οργάνωση, ένα πρόγραμμα υπερβολικά δημοκρατικό για τη νέα οικογένεια. Τα θεωρούμενα ως θετικά στοιχεία του μπιχεβιορισμού, τα χρησιμοποιούσε επιμελώς, ώστε να διδαχθούν τα βρέφη συνήθειες που εξυπηρετούν δημοκρατικότερα τη λειτουργία ολόκληρης της οικιακής ομάδας. Οι πολλές πολλές θυσίες και οι πολλές πολλές παραχωρήσεις, έλεγε κατά κάποιο τρόπο, τους βλάπτουν όλους. Το Όριο, που τέτοιο ρόλο άρχισε να παίζει ήδη στις ψυχοθεραπείες, έγινε ένα ζητούμενο σχεδόν ίσης αξίας με την αγάπη. Συγκεκριμένες ώρες για θηλασμό, ανά τρεις ώρες οπωσδήποτε, ενδιάμεσα αποφεύγουμε το γάλα, όχι μεγάλες υποχωρήσεις και συμβιβασμοί από μέρους της μητέρας αλλά και του μπαμπά, όχι πολλές πολλές αγκαλιές τις ώρες του βραδινού ύπνου, εξάσκηση στο να πηγαίνει στο κρεβάτι καθορισμένες ώρες, ανεξάρτητο και μόνο στον χώρο του. Πρέπει από τώρα να εκπαιδευτεί σε μια κάποια αυτονομία δικιά του, σε μια μοιραία έτσι κι αλλιώς για τον άνθρωπο μοναξιά. Ώστε να μην εξαρτηθεί από τη μητέρα, από τον πατέρα, από γιαγιάδες, παππούδες, νταντάδες κοντά του, να αναπτυχθεί ασφαλές και σίγουρο για τη δικιά του οντότητα. Οι υπερβολικές εκδηλώσεις λατρείας και τα πολλά χάδια καλλιεργούν αδυναμίες και εγωισμούς που θα το ταλαιπωρήσουν κατόπιν στη ζωή.

Με θυμάμαι καλά να μελετώ με φοβερή επιμέλεια τις σελίδες του Σποκ και να προσπαθώ να εφαρμόσω με κάθε λεπτομέρεια όσα μας πρότεινε για το καλό του βρέφους, των γονιών, της ανθρωπότητας ολάκαιρης. Πάντα ήμουν μαθήτρια-σπασικλάκι, και πολύ περισσότερο τώρα που έπρεπε να διαβάζω και να εφαρμόζω πιστά τις μοντέρνες θεωρίες από την προοδευτική, ορθολογιστική Δύση.

Έναν χρόνο πριν από τη γέννηση του Γιώργη, ο πατέρας του κι εγώ είχαμε μετακομίσει στη Ρόδο, όπου βρήκε εργασία ως πολιτικός μηχανικός. Εκεί με τα χρόνια δέθηκα ισόβια με πολύτιμους φίλους, δούλεψα ως συμβολαιογράφος, έγραψα, πρωτοέκδωσα βιβλίο, έγραφα χρονογράφημα για την εφημερίδα *Η Ροδιακή*, έζησα πολλά, εύκολα και δύσκολα, και συγγένεψα στενά με το ωραίο χρυσό νησί, το σμαραγδένιο θαλασσινό του χρώμα, την πορφυρή Ασία των δειλινών απέναντι, τη μαγική πόλη, την παραμυθένια Παλιά Πόλη, τις χλοερές τάφρους, τα κάστρα της. Μετά, τα Χανιά έγιναν η δεύτερη πατρίδα μου, έφυγα με πολύ πόνο ύστερα από έντεκα χρόνια, έναν Ιούνιο που γυρίσαμε στην Αθήνα, αλλά είναι σαν ποτέ να μην έφυγα.

Όμως, τότε, στην αρχή του γάμου μας, όταν φτάσαμε εκεί μήνα Φλεβάρη, ήταν όλα ξένα, όλοι ξένοι. Μακριά από τους γονείς μου που ζούσαν στην Αθήνα, την αδελφή μου, τους άλλους παππούδες και τους παλιούς, πρόθυμους να βοηθήσουν φίλους. Μόνη με τον πατέρα του, που έλειπε πολλές ώρες στη δουλειά του, όλη η κατάστασή μας σε μια νέα άγνωστη πόλη, η άγνοιά μου και ως νοικοκυρά, σύζυγος και μαμά, με φόρτωνε πρωτόγνωρη, μεγάλη, παντελώς απροετοίμαστη ευθύνη.

Βέβαια το γεγονός πως οι γονείς μου ζούσαν μακριά και δε γινόταν συστηματικά να βοηθήσουν, για τις δικές μου αντιλήψεις και για τις αντιλήψεις εκείνων των καιρών είχε και τα σοβαρά θετικά του. Μου επέτρεπε να εφαρμόζω ανενόχλητη τις δικές μου ιδέες και τις ιδέες του Σποκ στο παιδάκι μου, και να το ανατρέφω χωρίς να το χαλούν οι υποχωρητικές επεμβάσεις των υπερπροστατευτικών παππούδων. Ήταν πιο δύσκολα αλλά πιο ελεύθερα όσα συνέβαιναν στο δικό μας σπίτι της οδού Σοφούλη, της οδού Αμερικής έναν χρόνο μετά. Ήμουν είκοσι τεσσάρων χρόνων, με πολλά χρέη ακόμη σε σπουδές, εξετάσεις και διαβάσματα. Έπρεπε ταυτόχρονα να προετοιμάζομαι για την άσκηση στη δικηγορία, για τις εξετάσεις της άδειας επαγγέλματος στον Άρειο Πάγο, για συμβολαιογράφος αργότερα. Με θυμάμαι να διαβάζω Ποινικό Δίκαιο, κρατώντας το βιβλίο στο ένα χέρι και σπρώχνοντας με το άλλο χέρι το καροτσάκι του μωρού μου επί ώρες γύρω γύρω στην τάφρο που περιτριγυρίζει το Καστέλο. Ευτυχώς τις βόλτες με καροτσάκι τις λατρεύουν τα μωρά και μένουν ήσυχα, εκστατικά και κάθε λίγο υπέροχα κοιμισμένα.

Λίγες μόνο μέρες πριν από τον γάμο μας στην Αθήνα, και ανάμεσα σε μπομπονιέρες και πρόβες νυφικού, είχα βρεθεί στη μεγάλη αίθουσα του πανεπιστημίου για να ορκιστώ και να πάρω το πτυχίο μου. Καταχείμωνο, τέλος του Γενάρη. Έχω ακόμη και κοιτώ φωτογραφίες από την τελετή για τα πτυχία και τον όρκο που θα εκφωνούσε ο καλύτερος στη βαθμολογία φοιτητής, καθισμένη πλάι στην κολλητή μου φίλη, την Κική Ανδριανάκη. Μας κοιτάζω μαυρόασπρες, ανέμελες, χαρούμενες, τόσο μα τόσο νέες, ίσως και τυραννικά νέες, να φλυαρούμε μέσα στο πλήθος των νεαρών που ορκίζονταν και είμαι βέβαιη πως ψιθυρίζαμε λεπτομέρειες για το νυφικό μου. Το βλέπω στο ύφος μας, το βλέπω ακόμη στο ύφος και στη συνωμοτική κλίση των κεφαλιών μας στις φωτογραφίες πόσο γνωρίζαμε η μια την άλλη. Κι αν απομακρυνθήκαμε εξωτερικά, αν έφυγα μακριά, η συνεννόηση με την Κική υπάρχει και συνεχίζεται ακόμη και με δυο μηνύματα, δυο λέξεις, ένα σημείο στίξης στο διαδίκτυο. Κανένας τρόπος, καμιά μορφή, δεν είναι σε θέση να αλλάξουν τα αληθινά αισθήματα όσων συναντήθηκαν όντως, όσων όντως συμπόνεσαν ο ένας τον άλλο σ' εκείνη τη διάσταση της σχέσης που τίποτα τεχνικό, υλικό δε φτάνει να αλλοιώσει. Γέρνω στις παλιές φωτογραφίες του φοιτητικού όρκου μας, γέρνω στις φωτογραφίες της σήμερα στο facebook, και βλέπω ακριβώς την ίδια Κική. Κι αν λίγα πάνω μας άλλαξαν, είναι τόσο ασήμαντα ώστε στη δεύτερη ματιά έχουν χαθεί και γινόμαστε οι τότε, οι τώρα, οι παντοτινές.

Σύντομα παντρεύτηκε κι εκείνη τον εκ γενετής έρωτά της, τον Γιάννη Σώχο, και ενώ ασκούσε πολύ πιο επαγγελματικά και αφοσιωμένα από μένα τη δικηγορία, γέννησε τους δυο ωραίους της γιους. Της έκανα βέβαια δώρο το βιβλίο του Σποκ. Θυμάμαι τη στενοχώρια της άμα ξυπνούσε τον μικρότερό της τον Παύλο αξημέρωτα, για να τον σηκώσει και να τον μεταφέρει στον παιδικό σταθμό. Μου διηγιόταν ξανά και ξανά στο τηλέφωνο πόσο μάτωνε η καρδιά της άμα τον έπαιρνε με το ζόρι αγκαλιά κι εκείνος της παραπονιόταν με κλάματα: «Τι μαμά είσαι εσύ που δεν αφήνεις το παιδάκι σου να κοιμηθεί λιγάκι;...»

«Άντε τώρα να συνέλθω και να πάω να δουλέψω στο γραφείο ήρεμη... Δεν μπορούσε να ξεκινήσει χειρότερα η μέρα μου...»

Υπήρξαμε σίγουρα μια γενιά κοριτσιών, μετά γυναικών, σαστισμένη και μπερδεμένη από αντιφατικές επιρροές, από συγκρουόμενες πληροφορίες· ανάμεσα σε βαριά, προαιώνια θηλυκά συναισθήματα και αισθήσεις, και εποχιακές λογικές, ανάμεσα στη ριζωμένη παράδοση και έναν φωνακλά φεμινισμό, μαγκωμένες σε μια συντηρητική μητρότητα και σε μοντέρνες εντολές, σε προτάσεις πολιτικές που θέλησαν τότε να ταυτιστούν με κοσμοθεωρίες, φιλοσοφίες, ανθρωπογνωσίες ή τέχνες και να χώσουν τη μύτη τους και στα πιο απόκρυφά μας. Δώσαμε νομίζω αγώνα άνισο, πιεστικό, ενοχικότατο, ίσως ψυχαναγκαστικό, προκειμένου να βρούμε, αν βρήκαμε, κάποιες ισορροπίες. Πολλές από εμάς ποτέ δε βρήκαμε, πολλά άλλαξαν, πολλά μετάνιωσαν, απέτυχαν, αρκετά επέστρεψαν στα παλιά και αναψηλαφούν εκείνη την παραδοσιακή λειτουργικότητά τους. Τα συναισθήματα είναι πάντοτε συντηρητικά έως πρωτόγονα, τα ερωτικά ένστικτα δε μετακινούνται, η μητρότητα πλάστηκε όπως πλάστηκε από σταθερά υλικά, το υποψιάστηκαν αυτό εντέλει αρκετοί δήθεν μεταρρυθμιστές και δήθεν πρωτοπόροι. Παλινδρόμηση που δύσκολα και με πολλές αμαρτίες μπορέσαμε να την παραδεχτούμε.

Τέλος πάντων, τα βιβλία ήταν από πάρα πολύ νωρίς στη ζωή μου το κέφι και το χρέος μου, ο οδηγός μου, ο βοηθός μου, η δραπέτευση και το καταφύγιο, ο άλλος μου, ίσως ο αληθινότερος εαυτός, ο γκουρού μου. Πιο πάνω από τούτα που αναφέρω και άλλα διάφορα που ξεχνώ, τα βιβλία είναι το είδος της μαγείας που κάνει τη ζωή μου σημαντικότερη, κυρίως μου την ξεσκαρτάρουν και μου την εξηγούν, μου αποσαφηνίζουν τα ασαφή και, κυρίως, κυρίως αυτό, τα βιβλία είναι απόλαυση. Το πρότυπο του βιβλιοφάγου πατέρα μου στάθηκε από νωρίς και ποικίλα μοιραίο.

Στη φρέσκια μου αμήχανη και φοβισμένη μητρότητα τώρα στη Ρόδο πρωτοστατούσε όμως ο Δόκτωρ Μπέντζαμιν Σποκ. Επέμενε, είπαμε, στον νυχτερινό τακτικότατο ύπνο του γιου μου, ήρεμο ύπνο στο δικό του και μόνο στο δικό του κρεβάτι. Καλό θα ήταν σύντομα να μετακομίσει αν γίνεται και σε άλλο, δικό του μόνο, μοναχικό δωμάτιο. Όσο κι αν κλαίει τα βράδια, απαγορεύεται να τον παίρνουμε αγκαλιά, αλλιώς θα μας καταντήσει ανυπόληπτους σκλάβους του. Ήδη τα χέρια μου είχαν αλλάξει σχήμα προς τους ώμους απ᾽ την πολλή γυμναστική, κουνώντας τον πέρα δώθε μέχρι να κλείσει μια πολυπόθητη στιγμή τα ματάκια του, να τολμήσω να σκεφτώ *Δόξα τω Θεώ*, και να τα ξανανοίξει αυτόματα μόλις, κρατώντας την ανάσα μου, τον ακουμπήσω στο στρώμα. Και ταυτόχρονα, αυτό ήταν ένα θέμα σοβαρό για τον αθλητισμό που μου επέβαλε – μέρα τη μέρα βάραινε... Μεγάλωνε μια χαρά, σαν δεντράκι, αλλά και βάραινε. Έπρεπε να πάψω τις παρασπονδίες και να σκληρύνω, έπρεπε αναμφίβολα να ακολουθήσω επακριβώς τις επιταγές του δόκτορος Σποκ.

Επιβάλλεται απαραιτήτως να μάθει να κοιμάται μόνος χωρίς κούνημα πέρα δώθε, συγκεκριμένη, ψυχαναγκαστικά συγκεκριμένη, ώρα κάθε βράδυ. Έτσι, λέει, ο οργανισμός του συμβιβάζεται με το πρόγραμμα και προσαρμόζεται ευκολότερα. Ο Γιώργης χαλούσε τον κόσμο στο κρεβάτι του, πίσω από τα γαλάζια του κάγκελα, σαν μικροσκοπικός φασαριόζος κατάδικος στο κελί του, με ζητούσε με όλο και πιο δυνατές κραυγές, πότε με αληθινά δάκρυα και πότε με ψευτοδάκρυα, τα δεύτερα ακόμη πιο συγκινητικά στην απελπισία τους, εγώ έξω από την πόρτα σ' έναν στενό σκοτεινό διάδρομο, κρυμμένη από το οπτικό του πεδίο σπάραζα, αλλά συγκρατιόμουν, υπέφερα αλλά όφειλα επίσης να εκπαιδευτώ στην ψυχραιμία μιας ενήλικης υπεύθυνης μητέρας. Πόσο είχαν αλλάξει τα πάντα μέσα σε έναν ενάμιση χρόνο. Δεν ήταν πια μελέτη, εξετάσεις, σινεμά για σινεφίλ, καφετέριες και ερωτικά ραντεβού η καθημερινότητα, ήταν μια εντελώς άλλη ζώσα ζωή, όλο ανησυχία και χρέη, που απαιτούσε με σπαραχτικές κραυγές λύσεις για όσα δεν είχα ιδέα. Μα ιδέα!

Ξανάνοιγα τη σελίδα του χοντρού βιβλίου και ξαναδιάβαζα τις συμβουλές για να πάρω γραμμή και κουράγιο. Ακόμη κι αν κάνει εμετό, έγραφε το βιβλίο, δεν πρέπει να υποκύψεις· το πιθανότερο, πρόκειται για τεχνάσματα του πονηρού μικρού προκειμένου να σε λυγίσει και να περάσει το δικό του εγωιστικό θέλημα. Δεν επιτρέπεται να υποκύψεις. Θα μάθει! Όλους τους μαθαίνει στο τέλος η συνήθεια. Τα μωρά είναι νάρκισσοι. Ο Γιώργης αργούσε να μάθει, έκανε εμετό από το κλάμα, εγώ έξω από τη μισάνοιχτη πόρτα έκλαιγα σιωπηλά και συνέχιζα να διαβάζω. Σιγά σιγά θα μάθει… Θα μάθουμε. Μάθαμε;

Ο πατέρας του, ανίδεος κι αυτός από μωρά στα είκοσι εννιά του χρόνια, αμήχανος παρακολουθούσε το μακελειό μας, λυπόταν και τους δυο μας, δεν ήξερε τι είναι καλύτερο να υποστηρίξει. Αλλά του πρότεινα με δέος τον χοντρό μπλε τόμο, ώστε να δει κι ο ίδιος τι επιτάσσει ο διάσημος Αμερικανός παιδίατρος. Διάβαζε κι αυτός σαν πλάσμα μελετηρότατο που ήταν, αλλού ησύχαζε, αλλού μπερδευόταν περισσότερο, αναγκαζόταν να το αντέξει και να μας αντέξει. Οι πρώτες μάχες μάνας και γιου είχαν ξεκινήσει. Είχαν ξεκινήσει και μέσα μου οι ισόβιες ενοχές της δικιάς μου γενιάς. Προς τα πού να κλίνω; Τι να ακολουθήσω; Τη δίχως όρια και φραγμούς τρυφερότητα που λαχταρά η καρδιά μου, τα πρωτόγονα σπλάχνα μου ή εκείνο που *πρέπει* «για το καλό του παιδιού και της οικογένειας όλης»; Την τρυφερή υποχώρηση που ποθεί η μητρική μου φύση ή τις ορθολογικές «δίκαιες» προτάσεις ενός νέου διαφωτισμού;

Ο Σποκ και εκείνη η επαναστατική περίοδος των '70 φεύγα είπαμε δεν ήταν πλέον υπέρ των πολλών θυσιών της μάνας και γενικά των ενήλικων στην οικογένεια. Και οι γονείς έχουν ψυχή, και οι μητέρες, ιδίως οι από αιώνες αδικημένες και καταπιεσμένες μητέρες, πρέπει να συνεχίζουν να χαίρονται τα δυσκολοκερδισμένα δικαιώματά τους. Δε δινόμαστε ολοσχερώς σε κανέναν άλλο και πουθενά. Θα έπρεπε και οι δυο γενιές, γονέων και μωρών, να αποδεχθούν τα δικαιώματα και τις υποχρεώσεις και των δυο πλευρών. Και οι δυο παρατάξεις να σέβονται. Και γονείς και μωρά είπαμε. Όποιος δεν το ξέρει θα το μάθει, ακόμη και με τρόπους που μάθαινε ο σκύλος του Παβλόφ στην ανάγκη ανάγκη…

Η ανεξαρτησία των γυναικών, οι ελευθερίες στο σεξ, οι σπουδές, οι καριέρες των μανάδων, οι κοπιαστικές τους προσπάθειες για ισότητα, η ισότητα των φύλων σε βαθμό γιούνισεξ, οι φιλελεύθερες δραπετεύσεις τους μετά τα αρχαία θυσιαστικά άδικα καλούπια, που ήταν τις εποχές εκείνες στο φόρτε τους στην Αμερική, στην Ευρώπη, έφτασαν και στην Ελλάδα, έφτασαν στη Ρόδο, στην οδό Σοφούλη και μετά στην οδό Αμερικής, όπου οι τρεις μας, νέοι, πολύ νέοι και οι τρεις μας, ζούσαμε.

Τώρα, όμως, η γενιά του γιου μου και της Αλέσιας ακολουθεί άλλες μεθόδους, πιο συναισθηματικές θα έλεγα, πιο καρδιακές, ακόμη και ενστικτώδεις, πιο χαλαρές, φυσιολογικές και φυσικές. Το μωρό, από ισότιμο μέλος μιας δημοκρατικής κοινότητας που είναι η οικογένεια, άρχισε να επιστρέφει στον τρυφερό του θρόνο. Λες και αποκαθίσταται έπειτα από μια ή και δυο γενιές μια βασιλεία εναντίον της οποίας τότε φλογερά πολεμήσαμε.

Η γενιά του γιου μου, της Αλέσιας, της ανιψιάς μου της Μαίρης, της Τάνιας, των φιλενάδων τους, γίνεται πάνω στα θέματα του παιδιού τους πιο παραδοσιακή. Δεν αποφασίζει πια για τη βρεφική ανατροφή ο Δόκτωρ Σποκ, ο ενήλικος ορθολογισμός, κάποιες πολιτικές, οι κοινωνιολογίες και η φεμινιστική τάξη. Οδηγός και δάσκαλος για τη βρεφική πρώτη ζωή είναι το ίδιο το βρέφος.

Η Αλέσια διάλεξε να ακολουθήσει αποκλειστικό θηλασμό, που σημαίνει ότι πρέπει να το θηλάζει κάθε φορά που το μωρό δείχνει να πεινάει και να το ζητάει. Όχι απαραίτητα και υποχρεωτικά κάθε τρεις ώρες κατά το πρόγραμμα, αλλά και κάθε τέταρτο, αν το μωρό πεινάει, ανησυχεί, αισθάνεται μοναξιά, πονάκια και κλαίει. Όλη τη νύχτα να το θηλάζει, αν γκρινιάζει και ζητά αγκαλιά και γάλα, χάδια και φιλιά. Όλες τις ώρες του εικοσιτετραώρου. Στην αρχή αρχή της ελάχιστης ζωής του, σύνορα νύχτας ή μέρας δεν υπάρχουν στη δική του αντίληψη, δεν υπάρχουν υποχρεωτικά διαστήματα, ωράρια και προγραμματισμός, υπάρχουν μονάχα βρεφικές ανάγκες για τροφή, μητρικό σώμα και χάδι, για καθησυχασμό, λογάκια, φιλάκια, νανουρίσματα και λίκνισμα.

Και οι δυο γονείς σπεύδουν και υποτάσσονται στο κλάμα του με την πρώτη, και όταν εγώ είπα στον γιο μου να μην αναστατώνονται τόσο και να μη ζητούν πάντα αιτίες κι αφορμές για το τι έχει και φωνάζει, έτσι είναι τα μωρά, κλαίνε γιατί τα μωρά κλαίνε, εκείνος απάντησε: «Πάντα υπάρχει ένας λόγος για να κλάψουν και πρέπει να τον ξέρουμε».

Με αυτόν τον τρόπο αντιδρούσαν και συμπεριφέρονταν οι δυο νέοι γονείς, τους πρώτους της μήνες, και ομολογώ πως, εντέλει, και παρά τις απαισιόδοξες προβλέψεις μου ότι την κακομαθαίνουν, πως υπογράφουν την καταδίκη τους, ο τρόπος τους έπιασε τόπο εντυπωσιακά θετικά. Η μικρούλα, ενώ το πρώτο διάστημα ήταν κλαψιάρα σαν όλα τα βρέφη, με τον καιρό έπαψε να κλαίει «παράλογα», καθόλου δεν γκρινιάζει πια χωρίς λόγο, είναι χαρούμενη και γελαστή και καλοδιάθετη. Ξέρει πότε πεινάει και πόσο, ξέρει πόσο νυστάζει και πόσο, αυτοδιδάσκεται λες και αυτοκουρδίζεται με την απέραντη ομολογουμένως υπομονή των γονιών της σε ένα ρολογάκι που τακτοποιήθηκε από μόνο του και έσωθεν. Και πάλι θα διευκρινίσω πως δε γνωρίζω αν αυτό οφείλεται πρωτίστως στη στάση των γονιών απέναντι στους πρώτους, ατέλειωτους θρήνους της ή σε έναν χαρακτήρα ήρεμο από τη φύση του. Νομίζω όμως πως και ο τρόπος τους, η διαρκής ανταπόκρισή τους έχει κατά πολύ συμβάλει στη «λογική» και τη γαλήνη της. Πάνω από όλα στην ασφάλειά της. Την έχει βεβαιώσει ο τρόπος που διάλεξαν να της φέρονται ότι τη σέβονται και την καταλαβαίνουν. Της συμπαραστέκονται άμα στενοχωριέται, άμα χρειάζεται, και τη συντρέχουν στα δύσκολα της τοσοδούλας ύπαρξής της· είναι πάντα εκεί. Και θα είναι πάντα εκεί!

Περίεργο, απροσδόκητο εντελώς για τόσο μικρό πλάσμα, αλλά νομίζω πως το καταλαβαίνει. Και προσαρμόζεται. Ησυχάζει. Πείθεται!

Έτσι μπλε που είναι και συνεχίζουν να είναι τα ματάκια της, μου έρχεται κάθε τόσο στον νου ένα δημοφιλές τραγουδάκι. Την ανασηκώνω στα γόνατά μου, τη γυρνώ να βλεπόμαστε πρόσωπο με πρόσωπο και της τραγουδάω: «*Μάτια μπλε, στα μεγάλα ταξίδια σου, θα 'μαι εδώ, θα 'μαι πάντα μαζί σου…*»

Θα ακουστεί υπερβολικό και τρελό, γέννημα της έξαλλης φαντασίας μου, αλλά σας βεβαιώνω ότι όχι, αυτό ειδικά δεν είναι, είναι ακριβώς έτσι. Η εγγονή μου με τις δυο πρώτες λέξεις του τραγουδιού σταματά ό,τι κάνει, ακινητοποιείται, καρφώνει πολύ βαθιά τα μάτια της στα δικά μου μάτια, μα πολύ βαθιά, σοβαρεύει, συγκινείται λες, και δακρύζει… Δεν ξέρω τι καταλαβαίνει, αλλά είμαι βέβαιη πως καταλαβαίνει ότι το εννοώ. Το πάντα που της υπόσχομαι τραγουδιστά το εννοώ.

Τα μωρά γνωρίζουν πολύ καλά να πεινούν, να ζητούν τροφή, δεν αφήνουν αμφιβολίες, οι μαμάδες, η Αλέσια, οφείλουν να είναι συνεχώς πανέτοιμες και εξοπλισμένες να δώσουν το στήθος. Ντυμένη ανάλογα, με τη μαξιλάρα του θηλασμού στα γόνατα, με την πιο κατάλληλη φωτεινή γωνιά του σπιτιού επιλεγμένη και ήσυχη, πρόθυμη ανά πάσα στιγμή, τρέχει να την πάρει τρυφερά αγκαλίτσα, να τη χαϊδέψει, να της μιλήσει γλυκά και να την ταΐσει. Όσο εκείνη, η εκεινούλα, θέλει να φάει ή να μείνει έτσι στο σώμα της. Ο μπαμπάς της, πανέτοιμος κι αυτός, περιμένει να τη σηκώσει μετά με χάδια, με λόγια ψιθυριστά, να την ακουμπήσει στον προστατευτικό ώμο του, να την περπατάει πάνω κάτω στο δωμάτιο μέχρι να κάνει *γκρου*. Το *γκρου* που και στη δικιά μας γενιά και στην καινούργια θεοποιείται και με καμιά θεωρία παλιά ή νέα δε χάνει τον ύψιστο ρόλο του.

Στην αρχή, το πρώτο διάστημα της άφιξής της στον κόσμο και στον κόσμο μας, γινόταν ένας μικρός χαμός αταξίας στο σπίτι τους. Δεν κρύβω πως εκείνες τις μέρες με σόκαρε η τόση ασυδοσία της μικρής, η τόση παράδοση της μάνας στο θέλημά της, η τόση αφιέρωση σε κάθε της και στο πιο μικρό και σύντομο αίτημα. Είπα πως θα κακομάθουν και η κοιλίτσα της, το στομάχι της, τα έντερά της, ο χαρακτήρας της. Κυρίως ο χαρακτήρας της. Απορούσα με την υπομονή της μαμάς και του μπαμπά μπροστά σε κάθε ανάγκη, ανά πάσα στιγμή, νύχτα και μέρα, του βρέφους. Αυτό το ανά πάσα στιγμή έμοιαζε με φυλακή τους, έμοιαζε με εκπαιδευτήριο μικροσκοπικής δυνάστριας· στα δικά μου μάτια, όχι όμως στα δικά τους, κι αυτό όντως μου έκανε τεράστια εντύπωση. Εγώ δε θυμάμαι ποτέ να είχα τόση υπομονή, τέτοια εγρήγορση και αφιέρωση. Εκείνοι όμως δε δυσανασχέτησαν δευτερόλεπτο. Δέχονταν ήδη με παράξενο σεβασμό όλα τα καπρίτσια της. Απόλυτη υποταγή των μεγάλων σε ένα ροζ ζυμαράκι τόσο δα, τόσο αδύναμο και με τόσο δυνατή φωνή. Κουνούσε χεράκια και ποδαράκια και φώναζε. Όταν σύντομα εμφανίστηκαν και οι κολικοί, τα πράγματα εξελίχθηκαν πολύ χειρότερα. Είχαν μάθει από τις πρώτες της ώρες τι διατάζει κάθε φωνίτσα της και έτρεχαν να τη σηκώσουν στα χέρια και για όση ώρα θέλει. Ο γιος μου με πληροφορούσε ότι στις παλιές αγροτικές κοινωνίες οι ιθαγενείς δένουν το νεογέννητο με πανί πάνω στη μάνα συνεχώς, να το έχει μαζί της όπου κι αν πάει, και μάλιστα το δένουν από μπροστά, στο στέρνο της, να κοιτιούνται οι δυο τους κατάματα και καταπρόσωπο!

Κύριε, ελέησον! σκεφτόμουν εγώ σαν παλιά οπαδός του συχωρεμένου πια Μπέντζαμιν Σποκ. *Κύριε, ελέησον!* Μετά την τόση και τόση επιστήμη επιστρέφουμε στους ιθαγενείς. «Αύριο κλαίνε!...» που έλεγε και η καλή μου πεθερά. Προσπαθούσα να μη μιλώ, αποφασισμένη να μην επεμβαίνω στη νέα οικογένεια. Δύσκολο. Μπορώ κάλλιστα από φύση να μην επεμβαίνω, κυρίως επειδή δεν το αντέχω να μου επεμβαίνουν, αλλά και να μη μιλώ;... Δύσκολο! Δοκιμασία. Ευτυχώς μένω αλλού και σε λίγες ώρες θα γυρίσω στο σπίτι μου να ηρεμήσω! Να κάτσω να ψάξω στο ίντερνετ για τις νέες μεθόδους και να βγάλω άκρη με το τι τους μέλλεται. Να μην πω λέξη. Έρχομαι να τους δω και να συνδράμω μόνο απογεύματα, δεν έχω δικαίωμα να επεμβαίνω στις δικές τους ευθύνες, λέω μόνη μου, και παλεύω με τον εαυτό μου να σιωπήσει με την ένταση που θα πάλευα να μην κάνω τίποτα όταν βλέπω κάποιον να παραπαίει στην άκρη του γκρεμού.

Έτσι κι αλλιώς...

Έτσι κι αλλιώς, στα ουσιώδη της ζωής, στη γέννηση, στον έρωτα, στον θάνατο, στη φτώχεια και στα πλούτη, στις μεγαλύτερες περιπέτειες του μυαλού και της καρδιάς, ανίδεος πειραματίζεσαι, ανίδεος μαθαίνεις να κολυμπάς όπως όπως, είσαι άοπλος. Γι' αυτό και είναι ανάγκη η πίστη στον Θεό, προκειμένου να μην τρελαθούμε έτσι όπως είναι ο κόσμος, έτσι όπως είναι ο άνθρωπος. Δίχως Θεό να προστρέχουμε άμα κλαίμε κι άμα τρομάζουμε, είμαστε σε χειρότερη θέση από όσο το βρέφος που πετάχτηκε κάπου χωρίς γονιό. Σε θέση δυσχερέστερη είμαστε, αφού η δικιά μας επίγνωση, των ενηλίκων η συναίσθηση για το τι μπορεί ξάφνου να συμβεί, ένα κακό, ένας σεισμός, ένας πόλεμος, μια βαριά ασθένεια, είναι άγχος. «*Η μεγάλη επίγνωση, κύριοι, είναι αρρώστια*», γκρινιάζει κι εκείνος ο έρημος άντρας μέσα από το *Υπόγειο* του Φιόντορ Ντοστογιέφσκι.

Δίχως ρίσκο πάλι, δίχως πειραματισμό και διακινδύνευση, πουθενά δεν πας και τίποτα δεν κάνεις. Μπρος σε τέτοια μοναδικά, υπαρξιακά γεγονότα και σε τέτοιες εξελίξεις, το αποδέχεσαι, είπαμε, το μυστήριο, θες δε θες, με σπάνια ταπείνωση για τον εγωιστή εαυτό.

Και τώρα, με τούτο το ανήμπορο μωρό στην αγάπη και στην ευθύνη σου, στην απόλυτη αγάπη και στην απόλυτη ευθύνη σου, είσαι υποχρεωμένος εσύ να τα μπορείς όλα. Τι άλλο να κάνεις από το να του δίνεις τροφή όταν έτσι σπαρακτικά το απαιτεί, να το καθαρίζεις όταν λερώνεται, να το αγκαλιάζεις απαλότερα άμα ξαναβυθίζεται στον ύπνο, να κρατάς την ανάσα σου μην το ξυπνήσεις, και να απορείς: *Τι άραγε βλέπει και τρεμοπαίζουν τα κοιμισμένα βλέφαρα; Πώς μπορεί να ονειρεύεται και να χαμογελά, αφού γεννήθηκε προχθές ανίδεο, χαρτί άγραφο, και δεν έχει αναμνήσεις;* Ένα νεογέννητο μωρό σού υπογραμμίζει την άγνοιά σου για την αρχή της ζωής, όπως και ο θάνατος του γονιού σου που παρακολούθησες σου υπογράμμισε την άγνοιά σου για το τέλος της.

Όμως, τελικά, η μέθοδος της σχεδόν τυφλής υπακοής στο νεογέννητο μωράκι τους αποδείχθηκε παράξενα αποτελεσματική. Τα πράγματα εξελίχθηκαν απροσδόκητα ευνοϊκά και πέρα από τις συνηθισμένες λογικές μου προβλέψεις. Με τον καιρό το ίδιο το παιδί, χωρίς εκνευρισμούς, συγκρούσεις και στερήσεις, έχτιζε σιγά σιγά και με γνώση καλού μάστορα μόνο του ένα πρόγραμμα. Τακτοποιούσε από μόνο του τις ώρες, τα διαστήματα, τις φορές που έπρεπε να φάει. Την ποσότητα, τον ρυθμό. Έβαζε μια σοφή τάξη σιγά σιγά, αργά αλλά σταθερά, στα πράγματα της ζωούλας του. Απίστευτο!

Μετά τον πρώτο άγριο καιρό, άρχιζε, πάλι μονάχο του,

ασφαλές ίσως και σίγουρο για τη διαρκή προθυμία των γονιών του να το συμπονέσουν, να ρυθμίζει τον νυχτερινό του ύπνο, να κοιμάται όλο και περισσότερο συνεχόμενα, να αφαιρεί δείπνα της βαθιάς νύχτας, να προγραμματίζεται σε τι είναι μέρα και τι βράδυ που κανείς άλλος δεν του δίδαξε. Λες και εμπιστεύτηκαν οι δυο γονείς τη φύση του πως ξέρει καλύτερα από όλους μας. Και έγινε έτσι, η φύση αποζημιώνει εκείνους που τη σέβονται.

Το κυριότερο και το ομορφότερο, χόρταινε απλά απλά, γλυκά και γενναιόδωρα, αγκαλιές, λογάκια, ενδιαφέρον, γάλα, μικρά φιλάκια που δεχόταν με ολοφάνερη, συγκινητική ευχαρίστηση. Όχι, δε χρειάστηκε με την εγγονή μου, την ελάχιστη και τεράστια εγγονή μου, κανείς πόλεμος γενεών. Καμιά μάχη για δικαιώματα μανάδων. Οι γονείς θυσίαζαν τους εαυτούς τους, τις ώρες τους, την ησυχία τους στο πιο αδύναμο πλάσμα του σπιτιού, κι εκείνο άρχιζε στάλα στάλα να τους ανταμείβει. Δεν ξέρω αν η περίπτωσή μας είναι από τύχη, από γονίδια, από το μισό ρωσικό αίμα των υπομονετικών, στωικών Ρώσων στις φλέβες της, αλλά εξελισσόταν σύντομα σε ένα ήρεμο, χορτάτο σωματικά και συναισθηματικά μωρό. Ναι, χορτάτο συναισθηματικά, το ξαναλέω, γιατί είναι εξαιρετικά σοβαρό αυτό για τη ζωή όλη. Την ισορροπεί κάτι τέτοιο, την κάνει καλόκαρδη, την κάνει ακόμη και λογική.

Έπαιξε όμως μεγάλο ρόλο πιστεύω η σταθερή συμπεριφορά του πατέρα και της μαμάς. Σταθερή συμπεριφορά, αποφασιστικότατη στον τρόπο που επέλεξαν να εφαρμόσουν. Με συνέπεια που δεν ήταν πάντα εύκολη, καθόλου εύκολη για δυο νέους ανθρώπους άπειρους σε μωρά, τρομαγμένους από ευθύνη προς κάτι φοβερά σημαντικό αλλά άγνωστο, με δικές τους πιέσεις, υποχρεώσεις και εργασίες.

Κατά κανόνα οι προθέσεις και οι αποφάσεις μας είναι άριστες. Κατά κανόνα σχεδόν όλοι οι γονείς επιθυμούν το καλύτερο για το σπλάχνο τους. Είναι όμως μακρύς και δύσκολος ο δρόμος αυτού του «καλύτερου» στην εφαρμογή του. Στην εφαρμογή του γίνεται ο μέγας χαμός, τα ναυάγια των προθέσεων, η παραίτηση, η απελπισία, η κούραση, πάλι η παραίτηση και ο θυμός. Το να παραμένεις σταθερός και ήρεμος σε όσα πιστεύεις για σωστό, σε ό,τι διάλεξες για αγωγή και ποιοτική καθημερινότητα, δε συνηθίζεται και μάλιστα στη μεσογειακή μας πατρίδα. Μπερδεύεσαι, αναστατώνεσαι, σπας, υπαναχωρείς, αλλάζεις στάση, εκνευρίζεσαι. Με την αστάθεια η λογική του μωρού μπερδεύεται και θυμώνει, χάνει την εμπιστοσύνη προς τους γονείς, αρχίζει να μαθαίνει κι αυτό στα νεύρα και στις πονηρές τακτικές των ενηλίκων, στο πείσμα, στη σύγκρουση, στους εκβιασμούς. Είναι αναγκαία η σταθερότητα της αγάπης για όσους δοκιμάζουν την αγάπη μας. Και το μωρό δοκιμάζει από ένστικτο, ίσως από ένστικτο επιβίωσης, αλλά και από πνευματική ανάγκη, με την οποία κάθε πλάσμα είναι προικισμένο, την αγάπη των γονιών του. Αξίζει; Τους αξίζει να είναι ένα καλό παιδάκι μαζί τους; Είναι ικανοί να τους εμπιστευτεί; Θα το εκτιμήσουν ή να αρχίσει πόλεμο;

Και έτσι, το επεισοδιακό τούτο καλοκαίρι και τούτο το φθινόπωρο, το κοριτσάκι μεγάλωνε κάθε μέρα, κάθε ώρα, κάθε στιγμή, και άνθιζε όπως ένα λουλουδάκι κάτω από καλή βροχή, φαινόταν όλο και πιο χορτάτο και ήρεμο. Όσο κι αν ακούγεται υπερβολικό, από πολύ μικράκι φαινόταν συνεννοήσιμο. Καμιά ασυδοσία τελικά, όλα τα τακτοποίησε η ίδια η τοσοδούλα της φύση. Με ξετρέλαινε τώρα η τρυφερή της ωριμότητα, η γλυκιά ζαχαρένια σύνεσή της.

Γέρνω από πάνω της μαγεμένη από το φως που εκπέμπουν όταν κοιμάται τα μαγουλάκια της, το απαλό μέτωπο, τα σφιγμένα σε γροθίτσες χεράκια και το ένα ωμάκι της το γυμνό. Το δέρμα των μωρών, ένα τέτοιο δέρμα, από τι είναι άραγε καμωμένο; Μόνο από ύλη; Αποκλείεται! Ναι, έχει φως, έχει λάμψη, και αύρα, και άρωμα και μια απαλότητα άφταστου φεγγαριού, και ανάσα, πνοή Θεού, και, και, και θέλεις να ακουμπήσεις οπωσδήποτε αυτή τη μοναδική αφή, μήπως και λάβεις κι εσύ κάτι από τέτοια ωραία, πεντάμορφα στοιχεία, φυσικά και υπερφυσικά συνάμα.

Μα τι μπορεί να βλέπει, να ξαναζεί και να χαμογελά τόσο γλυκά όταν κοιμάται; Να αναστατώνεται πού και πού, να ζαρώνει τα χειλάκια και να είναι έτοιμο να κλάψει μέσα στο όνειρο; Από πού έμαθε να γελά, από πού έμαθε να κλαίει; Τι παραστάσεις έχει στο μυαλουδάκι του; Τι εμπειρίες; Τι μνήμες και μπορεί να αναβιώνει, να συγκρίνει και να αντιδρά; Άλλοι θα πουν για την καθολική μνήμη, άλλοι για αναμνήσεις από την εγκυμοσύνη και όσα βίωσε μέσα στην κοιλίτσα της μαμάς τόσους και τόσους μήνες, άλλοι από περασμένες ζωές μια και πιστεύουν σε μετενσάρκωση, άλλοι για ένα καθολικό υποσυνείδητο που έχει κληρονομήσει, άλλοι για χαρίσματα και ικανότητες που του έδωσε εξαρχής ο Πανάγαθος Δημιουργός προκειμένου να μπορεί να το ρίξει στην εκκίνηση, στης δικιάς του τροχιάς το πρώτο άλμα. Δεν ξέρω! Ίσως να είναι και μνήμες από τον Παράδεισο από όπου μας έκανε τη χάρη να έρθει. Όσο θα μεγαλώνει, θα ομορφαίνει κι άλλο, θα είναι τόσο καλό και τρυφερό, που όλο θα λέω και θα ξαναλέω πως ένα κομμάτι Ουρανού έπεσε από ψηλά, εκεί όπου ανέμελοι καθόμασταν, στο πιάτο μας!

Πρέπει επειγόντως όμως να προσγειωθούμε, να ξαναβρούμε τα μέτρα και τα σταθμά μας, τον συνηθισμένο τρόπο που σκεφτόμασταν και κρίναμε. Αρχίζει η ατελείωτη διαδικασία της ταυτοποίησής του. Καθόλου πρωτότυποι, από τις πρώτες στιγμές θα ψάχνουμε επισταμένως σε ποιον μοιάζει. Δε μας κάνει τη χάρη να βοηθήσει με μια κάποια ομοιότητα που κάνει μπαμ, είναι μοναδική και ανεπανάληπτη όπως όλοι οι άνθρωποι της γης ετούτης, της γης της αγαθής, της γης των ανθρώπων. Οπότε αρχίζουμε να σκύβουμε και να παρατηρούμε με μάτι λεπτολόγου ερευνητή τις λεπτομέρειες. Το μέτωπο, τα χρώματα, τα φρύδια, το όλο σχήμα, ίσως το σώμα είναι του μπαμπά της. Το είδε η Αλέσια μόλις γλίστρησε με τόσο κόπο από το σώμα της και της το ακούμπησαν στο στήθος. Το είδα αμέσως κι εγώ μόλις μας την τσούλησαν σ' εκείνον τον άχρονο και άτοπο ωχρό διάδρομο και μέσα στο τάπερ που μας την πρωτοέδειξαν.

Η μυτούλα είναι η χαριτωμένη μύτη της μαμάς της κι αυτό παραμένει το πιο βέβαιο και ενθαρρυντικό. Και το πάνω χείλος της μαμάς, το κάτω μάλλον του πατέρα. Το διάστημα ανάμεσα σε χειλάκια και μύτη είναι πάλι της μαμάς. Τα δάχτυλα των χεριών είναι σίγουρα τα δικά μου, το ίδιο και τα νύχια. Θετικό κι αυτό γιατί είχα όμορφα χέρια και δάχτυλα πριν κακοποιηθούν από τις αμέτρητες ώρες σε βαριές γραφομηχανές συμβολαιογραφείου, σε ελαφρότερες για βιβλία, σε υπολογιστές. Το μεγάλο δάχτυλο του ποδιού είναι της Αλέσιας. Έχει όμως και τα χρώματα της Μαριλένας, της ξαδέλφης της, το φώναξα από την πρώτη στιγμή. Τα ματάκια είναι μπλε, όπως μπλε είναι και του μπαμπά του Γιώργη, και του παππού του Γιώργη, όμως τα μάτια των νεογνών συχνά σκουραίνουν αργότερα, γίνονται καστανά ή μαύρα, θα δούμε.

Την επόμενη μέρα τα στοιχεία της όψης της αλλάζουν, μερικές φορές αλλάζουν και ύστερα από λίγες ώρες, μετά τον ύπνο, μετά τον θηλασμό, άμα νυστάξει, άμα κουραστεί, άμα έχει χορτάσει, είναι εκπληκτικό πώς τριγυρνούν σαν καλειδοσκόπιο τα χαρακτηριστικά στα βρεφικά μουτράκια. Το μόνο πράγμα που μένει απαράλλαχτο και σταθερό, σαν κέντρο της τοσοδούλας της ύπαρξης, σταθερό σαν άξονας ευτυχώς, είναι στη μέση η μυτούλα της Αλέσιας. Και να τη χάσουμε, χτύπα ξύλο, από τούτη τη μυτούλα, σήμα κατατεθέν, θα την εντοπίσουμε. Βεβαιώνει σαν επίσημο πιστοποιητικό πως από το μαιευτήριο μας έδωσαν το δικό μας μωρό, τόσα ακούς κάθε μέρα στην τηλεόραση από μπερδέματα και εγκλήματα, αγοραπωλησίες βρεφών. Και πού δεν πάει ο παράλογος νους σου όταν αγαπάς τρελά…

Και ακούει! Σίγουρα ακούει! Μόλις γεννήθηκε, μόλις άκουσε τη φωνή του Γιώργη, ακουμπισμένη, και πριν ακόμη την καθαρίσουν, στο στήθος της μαμάς της, έκανε τόξο το σωματάκι της και γύρεψε να τον δει προς τα πίσω, όπως εκείνος έγερνε και της έλεγε λόγια. Είχανε καλά γνωριστεί, αφού της μιλούσε συστηματικά όλους τους μήνες της εγκυμοσύνης.

Τη δεύτερη εξάλλου μέρα, αφού μετακόμισε απ' την κλινική και τακτοποιήθηκε στο σπίτι της, την ακούμπησαν για λίγο σε μια χαμηλή κούνια από κόκκινο ύφασμα που πάει ανάλαφρα πίσω μπρος. Από τη στιγμή της σύλληψης έμαθε να ζει στην κίνηση μέσα, η ακινησία που μετά τον τοκετό τής επιβλήθηκε στο μαιευτήριο, στο κρεβατάκι, σίγουρα κάπως θα την ανησυχεί. Όμως η κούνια όπου την ακουμπάει η μαμά της είναι μια πιο οικεία κατάσταση, η αμέσως πιο οικεία μετά τη μητρική της αγκαλιά. Από πάνω κρέμονται παιχνιδάκια, που αργότερα θα απλώνει τα χέρια της να τα αρπάξει, να τα βάλει στο στόμα και να ανακουφίσει τα ούλα της, κρέμεται και ένας καθρέφτης, που αργότερα, πάλι, θα αρχίσει να γυρεύει με όλο και μεγαλύτερη περιέργεια ποιο είναι αυτό το μικρό παιδάκι που κρύβει και την κοιτά κι αυτό από εκεί μέσα κατάματα. Προς το παρόν, τις πρώτες μέρες της ζωής της, τίποτε απ' αυτά δεν κοιτά, συνήθως κλείνει τα μάτια και αποκοιμιέται με τον ύπνο τον μακάριο, τον τρισμακάριο των νεογέννητων.

Όσο κουνιέται πίσω μπρος η κόκκινη κούνια, που τη λέμε και ριλάξ, ακούγονται μουσικές και καμπανάκια διάφορα στα οποία δε φαινόταν να δίνει σημασία. Ξαφνικά, όμως, άρχισαν να ηχούν και κελαηδίσματα πουλιών! Σχεδόν αυτόματα εκείνη πετάχτηκε, έστρεψε το κεφαλάκι έστω με κόπο και προσπαθούσε να δει τι συμβαίνει, από πού έρχεται το τιτίβισμα! Λες και της ήταν γνώριμος ο ήχος, ειδικά τούτος, λες και της θύμιζε κάτι που ήδη ήξερε και το ξανάβρισκε εδώ. Να είναι τα κελαηδίσματα που άκουγε λίγο πριν στον Παράδεισο; Να άρχιζε κιόλας η δική της ισόβια νοσταλγία;

Η νοσταλγία, που κάνει σε όλους μας τη ζωή πιο ποιητική, πιο σκιερή, πιο φωτεινή, με φωτοσκιάσεις, πιο σημαντική, πιο δύσκολη, έχει στόχο. Έχει Ιθάκη...

Κανένα ταξίδι προς την Ιθάκη δεν υπάρχει αν δεν υπήρχε Ιθάκη. Αν ο Οδυσσέας δε βίωνε κι αν δε λάτρευε αυτή την πατρίδα, γιατί να τη λαχταρά, να ζει και να παλεύει για να γυρίσει πίσω; Δεν αρκεί μια ανύπαρκτη, φανταστική επινόηση για να υποθέσεις αισθήματα επιστροφής τόσο ισχυρά. Από πού να προέλθει η έλξη, τέτοια έλξη, αν δεν υφίσταται ένα μαγνητικό αντικείμενο, ένας πόλος όντως; Όχι, δεν είναι φαντασίες και φαντασιώσεις τέτοια εσωτερικά γεγονότα, τέτοιες ισχυρές ροπές. Με κάθε αφορμή, ακατανόητη και απροσδιόριστη αφορμή, μια ελάχιστη παραπομπή σαν σταγόνα βροχής, ένα ίχνος, μια αίσθηση, μυρωδιά, ήχος, γεύση, σαν ριπή, σαν αύρας άγγιγμα, σαν βλέμμα κάποιου που διασταυρωνόμαστε για κλάσμα δευτερολέπτου σε πολυσύχνατο δρόμο. Σαν, και σαν, και σαν. Όλα τα αμέτρητα «σαν» είναι μονάχα η αφορμή. Σαν και σαν που παραπέμπει στο Άλλο. Αόριστο και θελκτικό όπως η χαρμολύπη, τυραννικό και διεγερτικό συνάμα. Δύσκολο να του αντισταθείς, κι αν του αντισταθείς υπερβολικά θα μελαγχολήσεις. Ίσως η ρίζα της τέχνης, των ερώτων, να ριζώνει εκεί. Αυτό θα είναι η θεία αναζήτηση της καταγωγής μας. Θα μας επιστρέφει πού και πού στη μνήμη της Εδέμ για να μας εξορίσει πάλι και πάλι. Μέχρι να το μάθουμε καλά το πηγαινέλα, από το εδώ στο εκεί, από το τώρα στο τότε, από το τούτο στο παν. Το πηγαινέλα λοιπόν είναι το παιχνίδι της πιο ποιητικής μας ύπαρξης.

Ήδη το μωρό μας πάει κι έρχεται με την κούνια που λέμε και ριλάξ. Έφυγε πρόσφατα από ψηλά, κατέβηκε στην αγκαλιά μας, στην κούνια της που κουνιέται, στο λίκνο της που λικνίζεται, και δείχνει ξάφνου να θυμάται αυτόματα τα εγκαταλειμμένα πουλάκια που άφησε πίσω για να έρθει στο σπίτι των γονιών της. Στο σπίτι της στη γη. Σας το είπα εγώ ότι ένα νεογέννητο είναι πλάσμα του Παραδείσου. Η Αλέσια μου λέει πως στη Ρωσία σε παροτρύνουν: *Να κρατάς αγκαλιά πολύ ένα μωρό, είναι η μόνη σου ευκαιρία να κρατήσεις αγκαλιά τον Θεό.*

Τόσο πολλά τριαντάφυλλα!...

Τα απογεύματα που της κάνω επίσκεψη, έχω προγραμματίσει να μείνω τόσες ή τόσες ώρες. Όμως οι ώρες περνούν και κανείς μας δεν τις παίρνει είδηση. Όλο το σχολιάζουμε τούτο το καινούργιο περίεργο, υπερφυσικό φαινόμενο που εισέβαλε στη συνηθισμένη μας αίσθηση του χρόνου.

Εκεί που είναι απ' έξω ο ήλιος μεσημεριανός και άσπρος και ξέξασπρος από την κάψα του Αυγούστου, ξαφνικά γυρνάς το κεφάλι και βλέπεις από την μπαλκονόπορτα να έχει σκοτεινιάσει. Ευτυχώς που το ίδιο το μικρούλι μας σιγά σιγά, και αρκετά σύντομα, κουρδίζει και τακτοποιεί το δικό του ρολόι. Γιατί το δικό μας διαλύθηκε, δεν ξέρει τι δείχνει. Όμως το μωρό μας, όσο οι μέρες περνούν και μεγαλώνει, σαν από εξαίσιο φυσικό προγραμματισμό του ελάχιστου οργανισμού του, κάθε τρεις ώρες ξυπνά και κλαίγοντας απαιτεί την τροφή της. Μήπως την ξέχασαν; Μήπως την εγκατέλειψαν οι δικοί της; Μήπως την αφήσουν πεινασμένη να χαθεί; Τι της δίνει τέτοιο σπαραχτικό φόβο; Ποια αρχαία εμπειρία απώλειας την αναστατώνει έτσι; Ίσως πάλι να είναι μονάχα ένα ένστικτο επιβίωσης, που όμως εγώ δεν το πολυπιστεύω· έχει πόνο τούτος ο φοβισμένος θρήνος της. Όπου τέλος πάντων και να ριζώνει, πόσο σοφή και ισχυρή φαντάζει τούτη η καταδακρυσμένη απαίτηση της ζωής που όλο δυναμώνει από μέσα της και θέλει, ποθεί με πάθος να ζήσει!

Μα πέρασαν κιόλας τρεις ώρες; αναρωτιόμαστε εμείς οι μεγάλοι, έκπληκτοι με τους χαλασμένους πια δικούς μας χρονικούς μηχανισμούς, με τρελαμένα τα εσωτερικά ρολόγια. Εκστατικοί έχουμε τώρα μπερδέψει όσα ξέραμε και δεν ξέραμε, εκείνη είναι πια το κέντρο μας, ο πιλότος μας, και δεν το ξέρει.

«Θέλω να φύγω, αλλά είναι τόσο μαγνητική», λέω στον γιο μου.

«Ναι! Είναι!» καμαρώνει.

Όλοι την καμαρώνουμε και δηλώνουμε πως δε φανταζόμασταν καθόλου ότι μπορούσε να είναι τόσο όμορφη! Δε γίνεται τόσο όμορφη! Μετά συνετιζόμαστε για λίγο και ρωτάμε ο ένας τον άλλο.

«Να είναι πραγματικά τόσο ωραία αντικειμενικά, ή εμάς μας φαίνεται;...»

Καταλήγουμε πως είναι αντικειμενικά μια καλλονή, ευτυχώς είμαστε μονάχα οι πολύ στενοί δικοί της γύρω γύρω και δε γελά ο κόσμος με το χάλι μας. Τα λέμε μεταξύ μας ψιθυριστά κάτι τέτοια, σαν κρατικό μυστικό, σαν *τοπ σίκρετ*, και οι τοίχοι έχουν αυτιά.

Πιστεύω πως είναι τόσο όμορφη, τόσο σαγηνευτική, διότι δεν το ξέρει. Η αθωότητα των μωρών σε αποσβολώνει, σε καθηλώνει μπρος σε κάτι σπάνιο. Γιατί μάλλον η απόλυτη ταπείνωση, η απόλυτη αγνότητα που καταφωτίζει τον άνθρωπο και τον κάνει εκτυφλωτικό συμβαίνει μονάχα σε αγίους και στα μωρά, στα πολύ μωρά όμως. Πριν τα «εκπαιδεύσουμε» στον εγωισμό, πριν τα χαλάσουμε, πριν αρχίσουν να μας αντιγράφουν, να μας μιμούνται, πριν καταλάβουν και ξεκινήσουν τους πονηρούς χειρισμούς της αξίας τους. Και η δικιά μας πεντάμορφη είναι ακόμη πεντάμορφη, επειδή είναι αθώα και καθόλου δεν το ξέρει.

Και, φυσικά, τη φωτογραφίζουμε!

Αυτό είναι νέο φρούτο, ηδονικότατο φρούτο των μοντέρνων καιρών. Κάθε κίνησή της, κάθε αλλαγή στο ύφος, στον φωτισμό, στα ρουχαλάκια μάς φαίνεται συνταρακτικό γεγονός που είμαστε υποχρεωμένοι, για την ιστορία του κόσμου, να καταγράψουμε. Από τους φίλους που στέλνω μετά φωτογραφίες, πολύ λίγες σχετικά, συγκρατιέμαι, το ορκίζομαι, ζητώ συγγνώμη και τους βεβαιώνω πως, αν κάνουν υπομονή, σε λίγο θα μου περάσει, θα ηρεμήσω και θα αραιώσω τις αποστολές και τα ρεπορτάζ κούνιας. Οι καημένοι λένε «όχι, όχι, χαιρόμαστε, στέλνε, στέλνε!» Όμως, το ξέρω, από ένα σημείο και μετά θα αρχίζουν να κουράζονται. Από ένα σημείο και μετά, κι εμένα άρχιζαν να με κουράζουν και να με εκνευρίζουν όσα μου έστελναν συγγενείς και φίλοι για τα δικά τους πολύτιμα βρέφη. Άσε που, αφού εξαντλήσεις τις αντιδράσεις σου για απαντήσεις –υπέροχο, μοναδικό, πανέξυπνο φαίνεται, να το χαίρεστε, γλύκα, τέλειο–, δε γίνεται να γυρεύεις νέα θαυμαστικά, και όσα επαναλαμβάνονται ηχούν ψεύτικα, ακόμη κι εσύ, που χάζεψες και πιστεύεις κάθε κολακευτικό, το καταλαβαίνεις. Ο γιος μου, ας πούμε, τις πρώτες μέρες έστειλε σε φίλο του τη φωτογραφία της κόρης του και πολύ χολώθηκε που του απάντησε απλώς *Μια χαρά είναι!* Περίμενε να του τηλεφωνήσει αυτόματα, μην μπορώντας άλλο παρά να βγάζει κραυγές. Τέτοια ομορφιά θα έπρεπε λογικά να τον έχει παλαβώσει. Το *μια χαρά* πολύ ψύχραιμο φάνταζε έπειτα από μια τέτοια αποκάλυψη που του εμπιστεύτηκε με το κινητό.

Παλιότερα οι άνθρωποι για να φωτογραφίσουν το υπέροχο μωρό τους έπρεπε να αγοράσουν φιλμ από ένα φωτογραφείο, να ρυθμίσουν σε διάφορες σκάλες τη μηχανή, να χάσουν και να κάψουν μερικές πόζες από τις μετρημένες δώδεκα ή είκοσι τέσσερις του φιλμ και, το χειρότερο, να περιμένουν ακόμη και μία εβδομάδα για να πάνε πάλι στο φωτογραφείο και με αγωνία να πάρουν τον φάκελο (κίτρινο συνήθως αν θυμάμαι καλά) με το ποθητό περιεχόμενο και τα αρνητικά. Ολόκληρη περιπέτεια!

Ακόμη πιο παλιά, ένας καλός επαγγελματίας φωτογράφος θα πήγαινε στο σπίτι για να φωτογραφίσει μεγάλες οικογενειακές στιγμές. Όλοι θα κάθονταν σε καρέκλες, ή θα στέκονταν σαν επίσημοι σε παρέλαση και, το πιο ακατανόητο, χωρίς το ελάχιστο χαμόγελο, ανέκφραστοι ή βλοσυρά σοβαροί, θα κοιτούσαν μπρος χωρίς να θυμίζουν ανθρώπινα πλάσματα όπως τα ξέρουμε. Πάντα αναρωτιέμαι γιατί είναι έτσι οι πρόγονοί μας στις φωτογραφίες τους. Υπήρξαν τόσο αγέλαστοι γενικά ή θεωρούσαν την ώρα της φωτογράφισης μια εξαιρετικά επίσημη ώρα που δεν επιτρεπόταν παρά να είναι σοβαρότεροι κι από αγάλματα; Όσο πιο σπάνια μπορούσε να πληρωθεί μια φωτογράφιση, τόσο πιο αγέλαστοι εκείνοι που πόζαραν. Φωτογραφίες γάμου, γέννησης ή κηδείας γύρω από νεκρό –γινόταν κάποτε σε περιοχές ακόμη κι αυτό–, τα πρόσωπα παρέμεναν με το ίδιο ύφος. Τα αισθήματα καλοκρυμμένα εντός, η κοινωνική τάξη και το καθωσπρέπει προηγούνταν. Φαινόταν προς τα έξω μονάχα εκείνο που θεωρούνταν πρέπον από την κοινωνία όπου ανήκαν.

Με στενοχωρεί και με θυμώνει η εγκληματική κουταμάρα τού να ζεις μόνο και μόνο σύμφωνα με το πώς θα σε δουν και θα σε κρίνουν οι άλλοι. Και μάλιστα εκείνοι οι άλλοι, οι ξένοι, που δε σ' αγαπούν, που δε σε γνωρίζουν στην ουσία, που ψάχνουν και όλο ψάχνουν μια κατηγορία να σου προσάψουν. Θυσιάστηκαν ζωές και αιώνες στη λατρεία της κοινωνικής φωτογραφίας μας, στην αλλοίωση του αυθόρμητου εαυτού, στους ψυχοφθόρους, τους ψυχοκτόνους κανόνες των πολλών. Των πολλών που νομίζεις ότι έχεις ανάγκη να ανήκεις. Άλλο γινόμαστε πολλοί μαζί, και άλλο είμαστε ένας ένας. Ένας ένας, μόνος σου, είσαι διαφορετικός, αγνώριστος και άγνωστος, με βυθισμένες εκπλήξεις, ευχάριστες, δυσάρεστες, αποτρόπαιες, αγγελικές. Πρέπει να μένεις καλοκρυμμένος όπως στις φωτογραφίες τις παλιές που με τα χρόνια υποχωρούν, οπισθοχωρούν και αχνοφαίνονται μέσα στη σέπια. Η ιστορία της φωτογραφίας συνιστά μια εξαιρετική κοινωνική καταγραφή του φόβου που μαστίζει το άτομο και την Ιστορία. Κι ο φόβος υπήρξε πάντα αιτία δεινών προσωπικών και παγκόσμιων. Ο μέγας φόβος που προσποιείται μισαλλοδοξία, που μεταμφιέζεται σε ισχύ.

Προσωπικά ευγνωμονώ και θαυμάζω την τεχνολογία, δεν τη θεωρώ ούτε στεγνή, ούτε μηχανική, ούτε απρόσωπη όπως διαρκώς την κατηγορούν. Τη θεωρώ μαγική και φιλάνθρωπη. Στο κάτω κάτω κάθε αντικείμενο, κάθε ζήτημα, είναι ουδέτερο πριν το χρησιμοποιήσεις κατά τους στόχους και την πρόθεσή σου εσύ. Θα ξαναπούμε το κοινότατο παράδειγμα για το απλό μαχαίρι που μπορεί να κόψει το χοιρομέρι και το ζυμωτό ψωμί, όπως μπορεί και να δολοφονήσει, να σε μαχαιρώσει και να σε μοιράσει σε κομματάκια. Είναι η ψυχή μας που νοηματοδοτεί τα πράγματα όσα μέχρι τότε κείτονται σε ένα μέρος αθώα. Είναι η ψυχή μας που νοηματοδοτεί και τον ίδιο μας τον εαυτό, που μέχρι τότε κείτεται σε ένα λίκνο αθώος και λικνίζεται όπως τώρα το αθώο μου εγγονάκι.

Αν έχεις μέσα σου μαγεία, αν έχεις θερμή ανθρωπιά και δημιουργική φαντασία, οι τρόποι που η τεχνολογία σού εξασφαλίζει να τα εκφράσεις είναι ερεθιστικά πολυποίκιλοι. Είμαστε αχάριστοι αν δεν το κατανοούμε, είμαστε γκρινιάρηδες, στενόμυαλοι και μίζεροι αν δεν το διακρίνουμε, κατά πόσο ευφυής και φιλεύσπλαχνη μπορεί να είναι η επιστήμη, επίσης τα μηχανήματα, οι υπέρηχοι, οι ακτίνες, τα ηλεκτρονικά, τα προγράμματα. Γλιτώνεις εγχειρήσεις αιμόφυρτες, επικοινωνείς με φίλους χαμένους στον Αμαζόνιο και στο χαμένο παρελθόν σου, κατεβάζεις λατρεμένα τραγούδια που έφυγαν από το εμπόριο, ακούς όπερες την ώρα που παίζονται στη Νέα Υόρκη – κάποτε ένα έργο του Μότσαρτ μονάχα πάμπλουτοι αριστοκράτες μπορούσαν λίγες φορές στη ζωή να το χαρούν σε κάποιο απρόσιτο σαλόνι. Και το πιο σπουδαίο: έχουμε τη δυνατότητα να φωτογραφίζουμε και να φιλμάρουμε την εγγονή μου όσο μα όσο μας χρειάζεται. Και μας χρειάζεται διαρκώς και αχόρταγα! Δε φταίμε εμείς. Είναι η ίδια που μας εμπνέει με τις τόσες εναλλαγές, μονάχα στη θάλασσα και στα μωρά μπορείς να κάθεσαι και να κοιτάς ακούραστα τις μεταμορφώσεις τους, με το ελάχιστο αναδεύονται και αλλάζουν το τοπίο. Τους άλλους παλιά τους κορόιδευα και τους κατηγορούσα γι' αυτό το ατέρμονο βιολί τού να φωτογραφίζουν τα μικρά τους· τώρα είμαστε όλοι με έναν φακό κολλημένο στο μάτι μας. Υπερβάλλουμε, το ξέρω, αλλά είναι πολύ δύσκολο να τον ξεκολλήσω. Θέλω μετά, μόνη μου, να την ξαναβλέπω συνεχώς. Σε καμιά μα σε καμιά φωτογραφία δεν είναι ίδια με την άλλη. Πώς μπορεί να έχει τόσες εκδοχές ένα μουτράκι μωρού λίγων ημερών!... Ανταλλάσσω μετά με την Αλέσια τα φωτογραφικά μας επιτεύγματα με τόσο ζήλο σαν να παίρνουμε μέρος σε διεθνή διαγωνισμό. Τίποτα, τίποτα να μη χαθεί από το θαύμα που ζούμε.

Τα τόσο πολλά τριαντάφυλλα από τους δρόμους της γης όπου βάδιζε, που κοίταξε κατάπληκτος μέσα στους κήπους, προς στιγμήν φάνηκαν στον μικρό πρίγκιπα ακριβώς όμοια. Είναι από τα ωραιότερα και σημαντικότερα κεφάλαια στο αριστούργημα του Εξιπερί το κεφάλαιο των ρόδων. Έμεινε κεραυνοβολημένος από δυστυχία όταν διαπίστωσε πως δεν του έλαχε να αγαπήσει ένα ανεπανάληπτο άνθος, αλλά ακόμη ένα ίδιο, εντελώς ίδιο, σαν αυτά που παντού υπάρχουν και κατακλύζουν πεζοδρόμια, φράχτες, πρασιές, αυλές. Γρήγορα όμως το αισθάνθηκε, στον βυθό της μεγάλης καρδιάς του το είδε, πως το δικό του τριαντάφυλλο που αγάπησε, που φρόντιζε ήταν εντελώς αλλιώτικο, ανεπανάληπτο και μοναδικό.

Πόσο περισσότερο ένα παιδάκι...

Ακόμη και οι μυριάδες κόκκοι της άμμου είναι ανόμοιοι, λέει, άμα τους δεις σε μικροσκόπιο, ένας ένας τους είναι εντελώς άλλος κόκκος.

Πόσο περισσότερο ένα παιδάκι...

Το δικό σου!

Αυτό που αξιώθηκες να σου χαριστεί! Να σου ανατεθεί να φροντίσεις. Να είναι άραγε εγωισμός το συναίσθημα που για το δικό σου αισθάνεσαι ή είναι σοφία της πλάσης, ώστε να μάθεις προσωπικά, προσωπικά μονάχα, να αγαπάς; Ώστε να παγιδευτείς στην ευθύνη;

Την έχω κάνει οθόνη τώρα στον υπολογιστή σε μια πόζα συγκινητική, που ποτέ μα ποτέ στη ζωή της δε θα επαναλάβει. Κάθε μέρα, κάθε ώρα, κάθε λεπτό αλλάζει και κάνει άλλα πράγματα. Σε όποιον λατρεύεις εύκολα ξεχωρίζεις, άμεσα προσέχεις τις λεπτομέρειές του και η πόζα της τούτη θυμίζει μπαλαρίνα δέκα ημερών που ετοιμάζεται για πρόβα στη σχολή χορού του μέλλοντός της. Η μαμά της της φοράει μια φορμίτσα σαν κολάν λευκό και εκείνη έχει τοποθετήσει έτσι τα ποδαράκια της λες και περιμένει να της φορέσει και τις πουέντ. Τα χέρια της μαζεμένα μοιάζουν με ντροπαλή κίνηση μιας καλλιτέχνιδας που έχει συναίσθηση ότι θα την κρίνουν. Πράγματι, οι μεγάλοι καλλιτέχνες έχουν λέει πάντα τρακ και είναι σεμνοί.

Και είναι τρέλα! Όλο διακόπτω το κείμενο που πληκτρολογώ, το ελαχιστοποιώ στη γωνία, και μένω να καμαρώνω το φόντο στην οθόνη μου. Διπλώνει ξανά και ξανά μπρος μου τα χεράκια της, τόσο σεμνά και ταπεινά που μου φέρνει δάκρυα. Τα ποδαράκια είπαμε ετοιμάζονται για πουέντ και πρόβα μπαλέτου. Τι φαντάζεται ο άνθρωπος, τι φαντάζομαι κι εγώ η γενικώς φαντασιόπληκτη! Ό,τι θέλω βλέπω, αλλά δεν αποκλείεται και να μην έχω άδικο. Οι διαισθήσεις και τα προαισθήματα πάντα έπαιξαν μεγάλο ρόλο στη ζωή μου, πάρα πολλά πραγματώθηκαν, και δεν μπορώ να πω ότι ήταν πάντα άσχετα με τις εξελίξεις που με βρήκαν.

Οι φωτογραφίες! Μια κούτα με φωτογραφίες απέμειναν και τα δικά μου παιδικά χρόνια στα Χανιά, οι γονείς μου... Ο πατέρας μου με στολή εφέδρου, η μαμά μου με κομφετί στο βελούδινο φόρεμα, που θυμάμαι καλά όταν μια μοδίστρα τής έραβε και πήγαινα μαζί της στις πρόβες. Το κομφετί κολλάει στους ώμους της, ενώ η ίδια, σοβαρή, κάθεται σε πολυθρόνα σε πάρτι της κουνιάδας της στο Ηράκλειο. Ο θείος μου Γιαννάκης, ο αγαπημένος μου θείος Γιαννάκης, κομψός φοιτητής ιατρικής με ολοστρόγγυλα μοδάτα γυαλιά μυωπίας, λες και ετοιμάζεται για άλλη μια φάρσα στους γύρω του. Είναι ολοζώντανοι μέσα στην κούτα με τις φωτογραφίες οι πεθαμένοι μου, οι δήθεν πεθαμένες μου εποχές, και τι σχέση έχουν με τους νεκρούς που με θρήνο κηδέψαμε μια μαύρη μέρα, πολλά χρόνια ευτυχώς έπειτα από εκείνη τη φωτογράφιση!

Έχουν, έχουν σχέση! Είναι ίδιοι και παντού πάντα βρίσκονται. Συναρμολογημένοι από τις στιγμές τους ταξιδεύουν στον χρόνο τον άχρονο της καρδιάς μου αλλά και του Θεού. Τα πάντα είναι παράθυρα να με κοιτούν και να τους κοιτώ στην αιωνιότητά μας. Την αιωνιότητα μονάχα η πολλή αγάπη σ' την εξασφαλίζει.

Και φυσικά τίποτα τεχνολογικό δεν είναι σκέτα τεχνολογικό. Αν δεν κρύβει εντός του ανθρώπινη κίνηση, ανθρώπινη ιδέα, προσωπικό αποτύπωμα, καμιά τεχνολογία δεν παίρνει μπρος. Πατάς γκάζι αλλά δεν ακούγεται θόρυβος μηχανής, είναι άδειο το ντεπόζιτο της βενζίνης. Δίχως καπετάνιο δε φεύγει το πλοίο κι ας είναι γεμάτο από ηλεκτρονικά μηχανήματα.

Υπάρχουν μάλιστα κάποιες ακραίες σε ένταση περιπτώσεις, όπου ένα αίσθημα είναι τόσο ισχυρό, τόσο επιβλητικό σε θέλημα, ώστε παρεμβάλλεται και καταλύει τους νόμους της γνωστής φύσης, της φυσικής και της τεχνικής. Η ανθρώπινη ψυχή είναι βόμβα, ο ανθρώπινος εγκέφαλος, ο ελάχιστα χρησιμοποιούμενος ανθρώπινος εγκέφαλος, επίσης. Θυμάμαι σε ταινία του Αντρέι Ταρκόφσκι, νομίζω στην τελευταία του, τη *Θυσία*, πως ένας ηθοποιός διηγείται τι συνέβη στην πόλη τους κατά τον Πρώτο Παγκόσμιο Πόλεμο. Το γράφω όπως το θυμάμαι, το πνεύμα του είναι έτσι, ακόμη και αν κάτι στην υπόθεση δεν θυμάμαι επακριβώς: Μια μητέρα πήγε σε φωτογραφείο του κέντρου και φωτογραφήθηκε με τις πόζες του καιρού της. Καθισμένη σε ωραία καρέκλα από εκείνες που διαθέτει ένας φωτογράφος στο μικρό του στούντιο, μπρος στους προβολείς και στην τρίποδη κάμερα με το μαύρο μανίκι. Σκόπευε να ταχυδρομήσει τη φωτογραφία στον γιο της που πολεμούσε στο Μέτωπο. Στο μεταξύ όμως έφτασε επίσημη επιστολή ότι ο γιος είχε ήδη σκοτωθεί και η μάνα βυθίστηκε σε ζοφερό πένθος. Έπειτα από μήνες θυμήθηκε να πάει να εξοφλήσει τον φωτογράφο, πράγμα που είχε λησμονήσει μετά το τραγικό συμβάν. Ο φωτογράφος τής έδωσε τις φωτογραφίες της και κάποια στιγμή εκείνη άντεξε να ανοίξει τον φάκελο και να τις κοιτάξει, να δει δηλαδή τον εαυτό της ξέγνοιαστο και ανέμελο, προτού η συμφορά τον συντρίψει. Δίπλα στην καθισμένη, αθώα ακόμη και ανέγγιχτη από το φριχτό συμβάν, μητέρα στεκόταν όρθιος και με τη στρατιωτική στολή του ο νεκρός γιος.

Χθες η Αλέσια με γλυκιά γλυκιά φωνούλα τραγουδούσε στα ρωσικά το *Νανούρισμα της άσπρης αρκούδας* στην κόρη της: «*Με το κουτάλι ανακατεύοντας το χιόνι, / έρχεται η νύχτα, / αλλά εσύ δεν κοιμάσαι, χαζούλα μου…*»

Το ξέρω πως όσα γράφω σε τούτο το βιβλίο είναι τα πιο συνηθισμένα, τα πιο βαρετά και κοινότοπα. Εκνευριστικά κοινότοπα και συνηθισμένα. Ηχούν σ' εμένα μοναδικά, σπανιότατα έστω, αλλά έτσι ακριβώς συμβαίνουν σε κάθε οικογένεια που αποκτά μωρό. Μερικούς μάλιστα θα τους εκνευρίσει ο συναισθηματισμός τους μια και δε βιώνουν κάτι ανάλογο. Χρειάζεται κοινή εμπειρία προκειμένου να κατανοήσεις συναισθήματα του άλλου που αναφέρονται σε έρωτα, στον Θεό, σε κάποιους πόνους, σε κάποιες ευτυχίες, και σε θαυμασμούς για το μωρό τους, όπως κάνω τώρα εγώ. Είναι τόσο συνηθισμένα όσα εδώ λέω, τόσο ίσως γλυκανάλατα, αλλά με σώζει που οι πιο πολλοί τα έχουν ζήσει, τα έχουν νιώσει και με κατανοούν, με ανέχονται τουλάχιστον.

Υπάρχει κάτι που σε ωθεί να θες να τα καταγράψεις, να τα διασώσεις, να τα μοιραστείς, γιατί, αν και ξέρεις την απλοϊκότητά τους, ταυτόχρονα τα θεωρείς σπάνια και ασυνήθιστα. Εξάλλου για σένα τον ίδιο είναι όντως σπάνια και όντως ασυνήθιστα· άλλωστε, γράφοντας δεν μπορείς να μιλήσεις παρά για τον εαυτό σου. Σαν παθολογική αναγνώστρια, σ' εμένα δεν αρέσουν τα κείμενα που περιγράφουν καταστάσεις αβίωτες, δε μ' αρέσει η φανταστική λογοτεχνία, τα βαριέμαι και μου προκαλούν ανία και από την αρχή τα παρατάω αδιάβαστα. Για μένα μόνο το βιωμένο έχει ενδιαφέρον, εν ολίγοις προτιμώ ένα συνηθισμένο βιωματικό γραπτό από μια εκπληκτική σε απρόσμενα συμβάντα φανταστική εξιστόρηση.

Τα ασυνήθιστα συνηθισμένα!

Τα πολύτιμα κοινά!

Ένας παραλογισμός που λογικά τον καταλαβαίνουν όσοι έμαθαν πως η ζωή είναι μια απέραντη κοινότοπη μοναδικότητα. Πως η αγάπη και η έγνοια της το πιο φυσικό ακατανόητο. Κάτι κενό και αδιάφορο γεμίζει από προσωπικό ενδιαφέρον, και κάθε αναμενόμενο, προβλέψιμο, εξελίσσεται σε εκπληκτικά απροσδόκητο άμα συμβεί. Ξάφνου ένα μυστηριώδες μυστήριο απλώνεται, σκοτεινή λίμνη, πιο πέρα απ' όσα καταλαβαίνουμε ότι νιώθουμε, όσα περιμένουμε να νιώσουμε, κι αυτή την υπόλοιπη, την πιο πέρα κρυμμένη λίμνη είναι που θέλουμε να αποκρυπτογραφήσουμε εξυμνώντας την. Το μυστήριο, όσο κι αν παραδέχεσαι ότι είναι μυστήριο, τρώγεσαι να το εξιχνιάσεις. Κάποιοι, όταν δεν μπορούν να το εξηγήσουν, το απορρίπτουν, είναι όμως πολύ κακορίζικη λύση αυτό.

Βρίσκομαι στο σπίτι των παιδιών μου και έχει νυχτώσει από ώρα. Κάνω κάποτε να φύγω και όλο λέω: «Φεύγω, καληνύχτα!»

Όλο γυρνώ προς τα πίσω και κοιτώ το γυμνό ωμάκι της, το αγκωνάκι, τη ρόδινη γροθίτσα στην αγκαλιά του μπαμπά της που την κρατάει για να ρευτεί. Όλο κάνω πίσω και ξαναφιλάω το ωμάκι, το κρεμασμένο ποδαράκι που κρέμεται έτσι άδολο και συγκινητικό και ξαναλέω: «Φεύγω και καληνύχτα!» Πάλι το γυμνό της ωμάκι, πάλι ακόμη ένα φιλί. «Μυρίζει κακάκια;» ρωτάει ανήσυχη η μαμά. Όχι, όχι, καθόλου! Μυρίζει κάτι σαν καρύδα και σαν βανίλια.

Τι σας λέω τώρα; Τα ξέρετε! Θέλω όμως να ξέρω αυτό που ξέρω. Πρέπει να θυμόμαστε τα ελάχιστα που αξίζει να ζούμε και να παλεύουμε. Εκείνα για όσα λέμε: χαλάλι! Ένα ωμάκι που αγωνίζεται να ρευτεί, που τρεμουλιάζει στο φιλάκι, αξίζει και λες: χαλάλι του!

Κάποιες στιγμές, όσο τα γράφω εδώ όσα γράφω, πάει ο νους μου και σκαλώνει σε μια κάποια τύψη: Μήπως άνθρωποι που τα διαβάσουν και δεν έχουν παιδί πληγωθούν και μελαγχολήσουν; Μήπως αισθανθούν μόνοι και άτυχοι; Ύστερα πάλι λέω πως όχι, αντιθέτως!

Υπάρχουν παιδιά, έχουμε πάντα παιδιά, πάρα πολλά παιδιά, πολύ πιο πολλά από όσοι οι μεγάλοι που είναι άτεκνοι. Είναι κατά πολύ περισσότερα τα ορφανά και τα έρημα και τα παρατημένα από τους ενήλικες, που στενοχωριούνται μόνοι χωρίς παιδάκι.

Έβλεπα χθες στις ειδήσεις της τηλεόρασης εκείνο το πεντάχρονο αγοράκι, τον Αμράν της Συρίας, που ξέθαψαν από τα ερείπια, μέσα σε σκόνες και αίματα να κάθεται ακίνητο, ήσυχο και σιωπηλό, σαν πετρωμένο να το φωτογραφίζουν οι ρεπόρτερ. Χωρίς έκφραση, χωρίς αντίδραση, με παγωμένη την ψυχή για να αποκρούει φρίκη και πόνο, να σηκώνει πότε πότε το χεράκι του και να σκουπίζει αίματα από το μάγουλό του. Χεράκι μικρό, ποδαράκια που κρέμονται, αδύνατο να μη συγκινήσουν, να μην προκαλέσουν την αγκαλιά σου.

Όχι, δεν υπάρχει περίπτωση να μείνεις δίχως παιδί αν αγαπάς και επιθυμείς τα παιδιά. Και ο λόγος ίσως που δεν αποκτούν φυσικά παιδιά κάποιοι από εμάς είναι γιατί πρέπει να περισσέψουν τέτοιοι ενήλικες, προκειμένου να βρουν γονείς τα έρημα, τα ορφανά, τα παρατημένα.

Γιατί τα παιδιά περισσεύουν πάνω σε τούτο τον πλανήτη. Είναι ένας πλανήτης παράξενος όπου περιδιαβαίνουν πάνω κάτω, δεξιά κι αριστερά, σαν τα χαμένα προβατάκια, άστοχα και φοβισμένα, μοναχικά παιδιά. Ποτέ δε συλλογίστηκα πως δε θα έχω κάποτε εγγονάκι. Από καιρό είχαμε συζητήσει με τα παιδιά μου ότι, αν δε γεννήσουν μωρό, αν δεν αποκτήσουν παιδί δικό τους, θα υιοθετήσουν. Ποτέ δε φοβηθήκαμε πως «δε θα μας στείλει ο Θεός παιδί». Έτσι ή αλλιώς θα στείλει. Όλα τα στέλνει ο Θεός άμα έχεις χέρι να τα πιάσεις. Και όποιοι επιλέγουν να αγαπήσουν μονάχα παιδί από το αίμα τους, από την τάχα σημαντική γενιά τους, αποκλειστικά από το δικό τους το ωάριο και το σπέρμα τους, τότε τους αξίζει η μοναξιά τους και η δήθεν ατυχία τους που μια ζωή θα επιθυμούν να πενθούν.

Όποιος ζηλεύει, κάτι δεν κάνει καλά με τα δικά του δώρα που του δόθηκαν, με το δικό του προικιό από τη γέννα του, με τις δικές του ευκαιρίες, με τα τάλαντα που ήδη κρατάει αλλά προτιμά να κρύβει. Να κρύβει τα δοσμένα τάλαντα, άχρηστα και άγονα, και να θυμώνει γι' αυτή την οκνηρία ακόμη και τον πράο Ιησού Χριστό.

Όποιος φθονεί, βαριέται να αξιοποιήσει τα χαρίσματά του, κουράζεται να χρησιμοποιεί τις τόσες του δυνατότητες. Και οι δυνατότητες των ανθρώπων είναι πάντοτε, πάντοτε, πάμπολλες. Είναι φορές που λυπάμαι που ζούμε μόνο τόσα χρόνια, γιατί εγώ τα σενάρια που έχω στον νου μου να ζήσω ως διάφορες και διαφορετικές ζωές είναι μπόλικα, δεν τα προλαβαίνω.

Το έχω προσέξει, οι πιο επίμονα και συστηματικά πικραμένοι, οι συστηματικά αδικημένοι και άτυχοι που έχω γνωρίσει κατά καιρούς, είναι όποιοι γαντζώθηκαν σε επιλογές που αρνούνται να αλλάξουν.

Ιντερμέτζο για αυγουστιάτικα μωρά

Μικρό παιδάκι της μακρινής σελήνης, της γαλανής σελήνης της αυγουστιάτικης, της γαλανής σαν τα ματάκια σου, από πού και πώς σε έστειλαν σε τούτη τη δικιά μας γη; Σε τούτο το δωμάτιο που σου ετοίμασαν; Μέσα απ' τις κουρτίνες με τις κουκουβάγιες; Να κάνεις τι, και πού να φτάσεις; Υπάρχει άραγε κάποια απόφαση κάπου για σένα ή είναι όλα δικά σου, της ελευθερίας σου; Από πού σκέφτεσαι να περάσεις για να παραφυλάξω και να σε δω;

Το μυστικό αίνιγμά σου πού να το κρύβεις άραγε; Στο σφιχτό σε γροθίτσα, τους πρώτους μήνες, χεράκι τι προσπαθείς να μας κρύψεις και το σφίγγεις έτσι ακόμη και μέσα στον ύπνο σου; Πόσο δύσκολα σου ανοίγουμε τα δαχτυλάκια για να αφήσουμε ένα φιλί στο λουλούδι της παλάμης σου!

Έχεις κάνει έμπιστους φίλους σου τα νυχτοπούλια, τα πάνινα κουκλάκια, τις μικρές σαυρίτσες, μια λαστιχένια γάτα, μια λαστιχένια Σόφι, ψαράκια πλαστικά, χάρτινο βάτραχο, τα ποντικάκια που γλυκά σου γρυλίζουνε. Από κοντά σου παραστέκουν ο κούκλος ο Τζιτζιγιώργος, η καμηλοπάρδαλη Λάουρα, ο Βαγγέλης με τη ροζ Χαρά, και η κοκέτα Έμιλι που ταξίδεψε για χάρη σου από την παγωμένη Σκανδιναβία. Έχεις μαζέψει μια μυστήρια παρεούλα εσύ, πριν σε κερδίσουμε εμείς «οι δικοί σου» στη συντροφιά μας. Γι' αυτές τις εποχές σου, τις μυστικοπαθείς, τις μέρες τις πολλές με το χεράκι σε γροθίτσα, δε θα μας πεις ποτέ και τίποτα, θα παριστάνεις πως δε θυμάσαι, πως πέρασαν πια αιώνες και τι να μας πεις...

Εντάξει, είναι οι πιο σπουδαίες εποχές ετούτες, οι χωρίς λόγια, και η μνήμη παριστάνει πως λησμόνησε, κρύβει καλά τα απόκρυφα στο θησαυροφυλάκιο του ασυνειδήτου σου. Όσο κι αν προσπαθήσει, πολύ αργότερα, ο ψυχαναλυτής σου, στο ντιβάνι του, στο σοβαρό του γραφείο με τα βιβλία και μια δυο τερακότες στο ράφι, δύσκολα θα τον αξιώσεις να ακούσει για τις πρώτες στιγμές σου, τις πρώτες σου ώρες, τις μέρες, για τον πρώτο πρώτο φρέσκο καιρό, όταν κοιμόσουν βαθιά στον βυθό σου με το σφιγμένο χεράκι. Τότε που πότε γελούσες και πότε έκλαιγες μέσα στα όνειρά σου. Όταν θα πας σ' αυτόν για βοήθεια λέμε, σε έναν ειδικό δήθεν, και μορφωμένο κύριο, παρακαλώντας τον να σε βοηθήσει, να σε συμβουλεύσει, να σε σώσει, τι να κάνεις, τι να μην κάνεις με τους μεγάλους πόνους κάποιου έρωτα. Τότε που κι εσύ ερωτευμένη θα μείνεις απ' έξω, απ' έξω, σφαλισμένη απ' έξω από άλλου είδους ακατάδεχτα μυστικά. Και τι δεν κάνει μια ερωτευμένη καρδιά για να μην πονάει έτσι... Τρέχει σε ψυχολόγους, σε μάγους, σε καφετζούδες, τρέχει σε εξομολόγους, σε αστρολόγους, όπου ακούσει, όπου βρει. Έχουμε όμως καιρό, έχουμε πολύ πολύ καιρό μέχρι τότε, κοριτσάκι, έτσι νομίζω, έτσι λέω για να μη στενοχωριέμαι με τις ερωτικές στενοχώριες σου.

Μωράκι, μωράκι, άμα πρωτοήρθες στο μικρό σου κρεβάτι και στο σπίτι σου, όταν γελούσες και έκλαιγες στα πρώτα όνειρά σου, μας άφηνες έξω από κάθε σου μυστικό. Πότε του ενός ο καιρός, πότε του άλλου. Πότε σπέρνεις λέει και πότε θερίζεις, κι ο καθένας κατά τα έργα του. Τι αποχαιρετούσες; Τι σε υποδεχόταν; Τι έπρεπε να ακολουθήσεις, να βρεις εδώ, να χάσεις τι;

Χθες τα μεσάνυχτα, κάπου μακριά, πολύ μακριά μας, ακούστηκε να χτυπάει μια καμπάνα. Τι να συνέβη άραγε; Γίνεται ολονυχτία, παννυχίδα ή έπιασε κάπου πυρκαγιά; Ύστερα σώπασε, λες και αποκοιμήθηκε ο καμπανοκρούστης, λες και ένα παράξενο πουλί έπεσε πάνω στο σχοινί και το έκοψε. Δε θα μάθουμε ποτέ τι συνέβη, γιατί εχτύπησε εκεί, έτσι, μέσα στην καλοκαιρινή θερμή νύχτα μια καμπάνα. Δεν παραπονέθηκαν ότι τους ξύπνησαν οι γείτονες;

Την άκουσες κι εσύ που ακούς τα πάντα, και τον πιο μικρό, ψιθυριστό ήχο ακούς, και άνοιξες ξαφνιασμένο τα μάτια σου. Τι θέλει η καμπάνα; σαν να ρώτησες. Τι λέει η καμπάνα; Τίποτα δε θέλει μια καμπάνα παρά να χαιρετήσει τους Ουρανούς. Έτσι της ήρθε! Το δέχτηκες αυτό σαν το πιο λογικό που μπορούσες να ακούσεις από εμάς και ξανακοιμήθηκες γαλήνια. Για μένα είσαι εσύ η απόλυτη συνεννόηση.

Είναι καλοκαίρι και σ' έχουν ξυπόλυτο. Το φθινόπωρο θα φορέσεις καλτσάκια, αστεία και τρυφερά, καλτσάκια ανάλογα με το φόρεμα, και την άνοιξη θα κουνάς χαρούμενη στα πόδια σου τα πρώτα παπουτσάκια. Τα βήματά σου, τα βήματά σου μέσα στον κόσμο, μέσα στην Ιστορία και στο μυθιστόρημα, μέσα στον καιρό, στο άπειρο και στο αιώνιο του παραμυθιού σου μέχρι ένα σημείο θα τα ακολουθώ. Από εκεί και πέρα θα σε κοιτούν άλλοι, άλλος. Να προσέχεις πού πατάς. Να προσέχεις, καλό μου, κατά πού βαδίζεις. Πότε πότε να μην προσέχεις, αλλά να προσεύχεσαι. «Στα χέρια σου, Θεέ μου», να λες και να πετάς. Έτσι που έλεγε και η γιαγιά σου.

Ώρες ώρες με τρώει ο φόβος πως μεγαλώνοντας θα μας μοιάσεις. Θα μας αντιγράφεις εμάς τους μεγάλους σου όσο κι αν σε προφυλάσσουμε, θα παραδειγματίζεσαι, θα μιμηθείς καμώματά μας ψεύτικα και ιδιοτελή, τέλος πάντων θα γίνεις από αγγελάκι ένας κανονικός άνθρωπος, από περιστεράκι μια κανονική γυναίκα. Όλοι το παθαίνουμε αυτό, πώς να το γλιτώσεις; Πώς να σε διασώσω από εμάς, από την υποκρισία μας, την αυξανόμενη κουταμάρα, του εγωισμού τα παράλογα, πώς να σε προστατεύσω; Ειλικρινά είναι μια έγνοια που με τρώει τις πολλές ώρες που σε προσέχω και σε παρατηρώ, που κάθομαι και σε θαυμάζω για την ουράνια αγνότητά σου, αυτή τη διάφανη μοίρα που με το ραβδάκι της σε κάνει τόσο όμορφη.

Μυστήριο μέγα η γέννηση του ανθρώπου, γι' αυτό είναι μυστήριο κατόπιν και ο θάνατος. Αδύνατο να δεις τι βλέπει κάτω από τα βλέφαρα ένας ετοιμοθάνατος γέρος, αδύνατο να δεις τι βλέπει ένα νεογέννητο. Εμείς οι μεγάλοι, εμείς οι ενήλικες, εμείς οι ενδιάμεσοι, οι μορφωμένοι, οι αμόρφωτοι, οι εξυπνάκηδες αλλά και οι έξυπνοι, θα είμαστε πάντοτε οι πιο αδικημένοι. Έτσι όπως τα κάναμε, θα είμαστε πάντα παραπονιάρηδες και δήθεν άτυχοι. Και θα γκρινιάζουμε. Ανεπαρκείς και επικίνδυνοι έξω από την πόρτα των θαυμαστών σας. Απ' έξω μας κρατούν τα μυστήρια και τα μυστικά που καθόλου δεν την κάνουν κέφι τη μόρφωσή μας, τις εξυπνάδες μας. Μας κρατούν απ' έξω οι επτασφάλιστες θύρες των θαυμάτων. Εκεί όπου από αρχές Αυγούστου, ίσως και μήνες πιο πριν, εσύ γνωρίζεις να μπαινοβγαίνεις τόσο τρυφερά, τόσο άνετα.

Κι αν η καρδιά σας δεν γίνει σαν των μικρών παιδιών τούτων, ποτέ, ποτέ δεν έχετε ελπίδα να εισέλθετε στον Παράδεισο.

Το κεφάλαιο των κοινοτοπιών

Και τώρα ετοιμάζομαι να πω τις πιο βαρετές κοινοτοπίες που κυκλοφορούν εδώ ή εκεί πάνω στα θέματα για τα οποία μιλάμε. Αμαρτία εξομολογουμένη άλλοι λένε πως δεν είναι αμαρτία και άλλοι πως είναι δυο φορές αμαρτία. Όπως και να έχουν τα πράγματα, μου είναι αδύνατο να τις παρακάμψω, να μην αναφερθώ σε κοινοτοπίες και πασίγνωστες κουβέντες, φράσεις και γενικόλογα παλιά συμπεράσματα που με τόση ευκολία περνάνε από στόμα σε στόμα, από γενιά σε γενιά, σαν τα πλέον δεδομένα και αδιαμφισβήτητα που κερδίσαμε και βρίσκονται στην κατοχή μας.

Έχω τον λόγο μου. Κι έχω τον λόγο μου επειδή ακριβώς τούτες οι σίγουρες, οι κερδισμένες «αλήθειες», και πιθανότατα αλήθειες χωρίς εισαγωγικά που αναμασάμε, κυρίως αυτές, δεν εφαρμόζονται τις περισσότερες φορές, δε γίνονται εντέλει πραγματικές πράξεις. Αισθανόμαστε φαίνεται ότι αναμασώντας, διαδίδοντας πόσο καλά τις ξέρουμε, τις έχουμε κιόλας πραγματώσει. Πολλά και διάφορα αισθανόμαστε πως τα έχουμε εφαρμόσει, επειδή και μόνο τα ξέρουμε και κυρίως τα ρητορεύουμε στην πρώτη ευκαιρία και με κομπασμό προς τους άλλους. Και είναι από τα πιο φαιδρά της καθημερινότητας τούτες η άδολες (;) υπεκφυγές. Ας είναι όμως κι ας γράψω κι εγώ σε τούτο το κεφάλαιο τις κοινοτοπίες μου:

Να δίνουμε πιο μεγάλη σημασία στην εσωτερική δύναμη, στην ψυχική ευφυΐα. Μεγαλύτερη έγνοια να δίνουμε από όσο στις εξωτερικές συνθήκες, από όσο στο γύρω γύρω και εμφανές πλαίσιο. Οι κορνίζες εξωραΐζουν το έργο, όμως το έργο δεν είναι η κορνίζα του. Πώς καταφέραμε να επικεντρωνόμαστε στο πλαίσιο, να αγωνιούμε γι' αυτό, να εργαζόμαστε γι' αυτό, να ξεπουλάμε ακόμη και την κορνιζωμένη μέσα ζωγραφιά, προκειμένου να είναι πιο εντυπωσιακό το πλαίσιο;

Παίζει φαίνεται ρόλο η ευκολία της εντύπωσης. Ρέπουμε στις βιαστικές εντυπώσεις διότι είναι μια τεμπέλικη και σύντομη δουλειά, είναι ορατή, είναι κοινώς ορατή, αισθητή χωρίς ιδιαίτερη σκέψη, ενώ η γνώμη μας για την κρίση μας υπερβολικά μεγάλη. Βγάζουμε συμπεράσματα με μια ματιά, αυτό κάνουν και οι άλλοι, οι περισσότεροι, πρόκειται για μια κοινή σύμβαση τούτη η επιπολαιότητα, γι' αυτό και δίνουμε τόση σημασία σ' εκείνο που φαίνεται με την πρώτη ματιά στην προσωπικότητα, στα έργα μας και στις ζωές μας. Η φωτογραφία αντικατέστησε τη ζωγραφική, αλλά και τον λόγο. Δεν είναι τυχαία η δημοφιλία της τηλεόρασης, του instagram, των κατάμεστων από φωτογραφίες εφημερίδων και περιοδικών.

Όπως κάθε ψυχική ανωμαλία την οποία καλλιεργούμε

ως κανονικότητα, πληρώνουμε οι ίδιοι το τίμημα κι εδώ με επώδυνο αποτέλεσμα. Ζώντας για την κορνίζα και κάθε πλαίσιο ως κύριο θέμα της ζωής μας δεν ικανοποιείται στο τέλος κανείς. Αντιθέτως με γεωμετρική πρόοδο αγχωνόμαστε μια και η ψευδοζωή, ο ψευδοεαυτός είναι πολύ εκδικητικές επιλογές. Μας τιμωρούν με την απληστία, το τυραννικό ανικανοποίητο, το εφήμερο που σβήνει, το κενό που δεν υποχωρεί, το κενό που σκάβει τον εαυτό του και βαθαίνει, μας τιμωρούν ακόμη και με τις καθολικότερες κοινωνικές κρίσεις. Ο πυρήνας του λαθεμένου εγώ, με ομόκεντρους κύκλους εξαπλώνεται σε λαθεμένο εμείς και παραπέρα σε λαθεμένο όλοι, που είναι η κοινωνία. Η ακοινώνητη κοινωνία.

Στη δικιά μας ψυχική δύναμη και την ευφυΐα να δίνουμε αξία, εκεί να παλεύουμε, και των παιδιών μας την εσωτερική δύναμη και ευφυΐα ακόμη πιο προσεκτικά. Άλλωστε, αν δίνουμε αξία στη δικιά μας εσωτερική δύναμη και ευφυΐα, αυτόματα τη δίνουμε και στα παιδιά μας.

«Βρες εσύ μέσα σου την ειρήνη και χιλιάδες γύρω σου θα σωθούν», λέει ένας μεγάλος Ρώσος άγιος. Ο γλυκύτατος, αν δεν κάνω λάθος, Σεραφείμ του Σάρωφ (ή Σαρώφ), που όποιον συναντούσε στα ρωσικά δάση όπου τριγύριζε, με όποιον διασταυρωνόταν στο μοναστήρι της μετανοίας του, έγερνε τη γερμένη ήδη από τις προσευχές ράχη του και τον χαιρετούσε πάντα με τον ίδιο χαιρετισμό: «Χριστός Ανέστη, χαρά μου!»

Τα παιδιά μεγαλώνουν μιμούμενα, αντιγράφουν, παρακολουθούν λεπτομερώς –είτε μας το δείχνουν, είτε όχι–

αυτό που εμείς είμαστε, αυτό που κι εμείς οι ίδιοι πιθανόν δεν έχουμε προσέξει ότι είμαστε. Το συλλαμβάνουν με βαθιά παιδική, ακόμη και βρεφική σοφία, και πριν ακόμη μάθουν τις λέξεις που το περιγράφουν, πριν ακόμη μιλήσουν και λεκτικά εκφραστούν. Από τόσο παλιά, τόσο πρώιμα καταλαβαίνουν πολύ περισσότερα από όσο μπορεί να βάλει ο δικός μας κουρασμένος, φορμαρισμένος και, ως εκ τούτου, στενεμένος νους.

Δεν τα επηρεάζουν επί λέξει τα λόγια που τους λέμε, προσέχουν όμως καλά το βλέμμα μας, τον τόνο της φωνής μας, γιατί ο τόνος, το ύφος κι ο τρόπος είναι που περιέχουν το αληθινό πνεύμα και τις προθέσεις όσων τους λέμε. Κι αυτά δε συμπίπτουν πάντοτε. Πολύ συχνά ανάμεσα στο πνεύμα, την πρόθεση και στο επί λέξει ανοίγει χάσμα μεγάλο, κι εκεί σκοντάφτουμε, πέφτουμε και σταματούν να μας εμπιστεύονται τα παιδιά.

Έχει τεράστια σημασία για την όλη ζωή μας να κερδίσουμε την εμπιστοσύνη των μικρών μας, κι αυτό θεμελιώνεται από νωρίς νωρίς. Από τότε που νομίζουμε ότι «δεν καταλαβαίνουν». Όλη η σχέση μας μαζί τους έχει να κάνει με την εμπιστοσύνη τους που κερδίσαμε ή δεν κερδίσαμε· αν μας συνέλαβαν να τα κοροϊδεύουμε, να τα αγνοούμε, να λέμε ψέματα και απερίσκεπτες χαζοδικαιολογίες, για να τα ηρεμούμε και να τα ξεφορτωνόμαστε. Το ξέρω πολύ καλά πως είναι εξαιρετικά ζόρικο και κουραστικό να μεγαλώνεις μικρά. Η πεθερά μου έλεγε: «Όποιος βαριέται, να μην κάνει παιδιά». Η εμπιστοσύνη όμως του μικρού, του έφηβου μετά, του μεγάλου αργότερα προς τον γονιό του είναι ένα θεμελιώδες αίτημα για τη σχέση τους ισόβια, όπως και για τις σχέσεις του παιδιού με τους άλλους ανθρώπους εν καιρώ.

Ασφαλώς δεν είναι δυνατόν να τους λέμε πάντα ακρίβειες και αλήθειες που είναι για εκείνα άκαιρες, ή δεν τα αφορούν και δεν επιτρέπεται να μάθουν. Ναι, έχω πει στον γιο μου όταν ήταν μικρός κάποια ψέματα, όμως με προβλημάτισαν πολύ πριν τα ξεστομίσω και αναζήτησα το πώς να του τα πω χωρίς ποτέ του να το καταλάβει. Γιατί για το καλό του ίδιου δεν έπρεπε να χάσει την εμπιστοσύνη του στη μάνα του. Θέλει και το ψέμα έγνοια και προσοχή, κυρίως θέλει σεβασμό και αγάπη για το πρόσωπο στο οποίο θα το πουλήσεις. Τον θεωρούσα έξυπνο κι όχι χαζό παιδάκι «που δεν καταλαβαίνει». Και ναι, πιστεύω πως εκείνα τα αναγκαία ψέματά μου τα πίστεψε, δεν άφησα περιθώριο να τα αμφισβητήσει. Είχε μεγάλη σημασία για τη σχέση μας η εμπιστοσύνη.

Εξάλλου σχέση δίχως εμπιστοσύνη δεν είναι σχέση.

Για όλες τις ηλικίες και όλων των ειδών τους δεσμούς. Τίποτα πιο ακυρωτικό από το να χάσεις την εμπιστοσύνη σου προς κάποιον που θεωρούσες φίλο, έμπιστο πρόσωπο και πραγματικό συγγενή σου. Ναι, πρέπει να συγχωρούμε, αλλά το «συγχωρώ», «κάνω παραπίσω εκείνο το άσχημο που μου έκανες, εκείνη την προδοσία, την εξαπάτηση, το άχρηστο ψεύδος, την εκμετάλλευση», δε σημαίνει ότι η παλιά τυφλή, αναγκαία εμπιστοσύνη που σου είχα επιστρέφει. Διότι πια, αν και συγχωρημένος, γνωρίζω τι μπορείς να κάνεις. Το έχω ξαναπεί. Ο μεγαλόψυχος Ιησούς συγχώρησε πιθανόν τον Ιούδα, όμως αν ξαναγύριζε στη γη χωρίς τούτη τη φορά να έχει σκοπό να συλληφθεί και να σταυρωθεί, δε νομίζω ότι θα τον ξανάπαιρνε για μαθητή του.

Είναι η αγνότητα της καρδιάς που παραμένει αφάνταστα λεπτή, διεισδυτική σαν δυναμική, ενεργειακή ακτίνα. Που καταφέρνει να συλλαμβάνει νοήματα στον αέρα, κρυφές καταστάσεις, χαμηλωμένα βλέμματα που αποφεύγουν άδηλες πραγματικότητες, και να καταγράφει το αυθεντικό, εκείνο που όντως συμβαίνει πίσω από εκείνο που εμείς παριστάνουμε. Το να παριστάνω είναι δουλειά αφάνταστα κοπιαστική, για λίγο αποδίδει, αργότερα αποτυγχάνει και αποκαλύπτεται, λίγο μετά σου ζητά επιστροφές, αποζημίωση, τόκους και προσαυξήσεις. Το λέω και το ξαναλέω: το να είσαι καλός, ειλικρινής, δίκαιος και αληθινός, δεν είναι μόνο αρετές αλλά και εξυπνάδα. Συμφέρει! Φτάνει βέβαια να μη γίνονται από συμφέρον.

Στην αγνότητα μέσα φωλιάζει η σοφία του Θεού που λειτουργεί απλά και άμεσα, και κατανοεί. Τα μικρά παιδιά όσο παραμένουν αγνά, πριν αρχίσουν δηλαδή να μας μοιάζουν, να μας αντιγράφουν, να πονηρεύουν, να προσποιούνται και να υποκρίνονται σαν εμάς, παρατηρούν έξυπνα, με ζήλο μαθητευόμενου μάγου αυτό που κάνουμε, ενώ αγνοούν τα πολλά μας λόγια, τις συμβουλές και τις διδασκαλίες μας. Με τις συμβουλές και τις διδασκαλίες οι μεγάλοι έχουμε σοβαρό πρόβλημα. Θεωρούμε χρέος μας να τις προσφέρουμε αφειδώς λες και γεννηθήκαμε ικανοί να είμαστε διδάσκαλοι, γκουρού και σωτήρες των πιο αδύνατων από εμάς, εκείνων δηλαδή που αδυνατούν να μας αποφύγουν και να μας φωνάξουν: «Παράτα με!» Θα το πουν αργότερα, άμα μεγαλώσουν, άμα πιάσουν τη φουντωμένη προεφηβεία τους και αποκτήσουν τώρα εκείνα δύναμη πάνω σ' εμάς τους πολύξευρους μεγάλους. Τώρα οι πολύξευροι θα γίνουν αυτά.

Είναι μεγάλη και δαιμονική η μανία μας να γινόμαστε σωτήρες. Άλλων σωτήρες εννοείται, όχι του εαυτού μας. Τον εαυτό μας τον θεωρούμε σωσμένο ήδη από χέρι, δεν έχει ανάγκη. Κινούμαστε και φερόμαστε λες και ο άλλος κρέμεται στο χείλος γκρεμού, όπου, αν δε μας υπακούσει, έπεσε και χάθηκε. Αν δε συμφωνεί με την άποψή μας είναι ηλίθιος και πλανεμένος. Μας προξενεί απελπισία και περιφρόνηση. Απορούμε πώς δεν ακολουθεί, δε δέχεται το αυτονόητο, το πασιφανές που του προτείνουμε «για το καλό του». Η δική μας γνώμη είναι πάντα εκείνη που θα σώσει τον κόσμο! Όπου κι αν πας, όπου κι αν σταθείς, ακούς θυμωμένες ιδέες, γνώμες και προτάσεις από τον πάσα έναν για το πώς θα σωθεί η προβληματική πατρίδα μας. Τις φωνάζει με στόμφο, αλαζονεία και ασύλληπτη απορία για το πώς δεν μπορεί να το σκεφτεί έτσι ο εκάστοτε αρμόδιος, ο πρωθυπουργός. Φανταστείτε λοιπόν πώς θα φέρεται μέσα στην οικογένειά του, στα παιδιά του, ένας τέτοιος συνηθισμένος, φοβερά συνηθισμένος τύπος.

Το καλό του άλλου είναι η πιο πλανερή παρενέργεια του εγωισμού. Η χειρότερή του πρόφαση. Όπου και να πας, το ξαναλέω γιατί έχει καταντήσει επιδημία, όπου και να βρεθείς, ειδικά τώρα που τα κοινωνικοπολιτικά της χώρας μας είναι τόσο ζόρικα, θα ακούσεις κάποιον να συμβουλεύει μακρόθεν κυβέρνηση, αντιπολίτευση, πλανητάρχες, κάθε αρχηγό και αρχηγίσκο, για το πώς να φερθεί, ώστε πολύ εύκολα, πολύ απλά, να σωθούμε από την τραγική μας κατάσταση. Κι ο τρόπος που το λέει αποπνέει τόση βεβαιότητα, τέτοια αυτοπεποίθηση, τόση απορία για το πώς δε σκέφτηκαν οι κεφαλές της γης εκείνο που ο ίδιος αμέσως το έπιασε και το παίζει στα δάχτυλα του ενός χεριού του. Θυμώνει μάλιστα και για την τόση βλακεία των πολιτικών. Μα είναι κάτω από τη μύτη τους η λύση, να πάει να τους το πει λιανά ο ίδιος. Οι δικτάτορες και οι τυραννίσκοι είναι ανάμεσά τους πανέτοιμοι, μονάχα που δεν έχουν και τόσες ικανότητες ώστε να μπορέσουν να καταλάβουν εξουσίες. Μονάχα στο σπίτι τους, μονάχα στα παιδιά τους μπορούν.

Όσο λιγότερα βέβαια ξέρει κανείς τόσο για πιο πολλά είναι σίγουρος πως ξέρει. Τα πάντα γι' αυτόν είναι απλοϊκά, γενικότατα και φλου, μπορεί να τα χειρίζεται ο απλοϊκός εγωπαθής νους του. Κι αν για τις πράξεις των κυβερνώντων της γης έχει να δώσει τέτοιες σίγουρες σωτήριες λύσεις, φανταζόμαστε τι έχει να προτείνει «για το καλό τους» στα ίδια του τα παιδιά. Στους πιο αδύναμους που κρατάει στο χέρι. Που εξαρτώνται από τον πάνσοφο γνώστη. Που εξαρτάται και η δική του φήμη και υστεροφημία απ' αυτούς. Οι γονείς θεωρούν με τα χρόνια και κατά νοσηρά εγωιστικό τρόπο ότι πιο πολύ χρωστούν σ' αυτούς τα παιδιά τους από όσο νομίζουν τα ίδια πως τους χρωστούν οι γονείς. Το έχω προσέξει αυτό το ανάστροφο σε θεραπευτικές συνεδρίες. Έτσι άλλωστε σπέρνονται οι μαρτυρικές και άσχετες ενοχές που θα τυραννήσουν ζωές και ζωές στο μέλλον. Το χειρότερο, οι γονείς θεωρούν πως τα παιδιά τους χρωστούν να καταφέρουν ό,τι εκείνοι επ' ουδενί δεν μπόρεσαν. Να γίνουν αυτό που εκείνοι ονειρεύτηκαν και δεν το κατάφεραν, γιατί δεν το άξιζαν να γίνουν.

Θα ξαναπώ το πασίγνωστο ανέκδοτο (αλήθεια γιατί αποκαλούμε ανέκδοτα τις ιστορίες που έχουν επανειλημμένα εκδοθεί;) που καλό είναι όμως να κρατάμε στον νου μας: Ένας πατέρας μαλώνει κάθε τόσο τον γιο του για την τεμπελιά και τις αποτυχίες του και καταλήγει βέβαια εκεί όπου συνήθως ένας πατέρας καταλήγει: «Ξέρεις εγώ τι είχα καταφέρει στην ηλικία σου;», και ο γιος απαντά: «Ξέρεις τι είχε καταφέρει ο Ναπολέων στη δικιά σου ηλικία;»

Θα έρθει όμως αργότερα ο καιρός που τα παιδιά μας, μεγαλώνοντας, θα μοιάζουν εντυπωσιακά σ' αυτό που όντως είμαστε, ενώ θα αναρωτιόμαστε πώς και γιατί δεν ακούνε όσα συνεχώς τους λέμε και τα διδάσκουμε. Μα γιατί ούτε εμείς οι ίδιοι ακολουθούμε αυτά που τα διδάσκουμε. Ποιος έχει το θάρρος να το παραδεχτεί, να το διακρίνει καν; Γνωρίζουμε μήπως καλά τον εαυτό μας ώστε να τον δούμε πόσο αποτυπώθηκε, σαν από στέρεο καλούπι, και πάνω στο παιδί μας με τα χρόνια; Όχι, δεν τον γνωρίζουμε, κι εκείνο που αγνοούμε το αντιπαθούμε και αντιπαθούμε μετά τα στοιχεία του, τα δικά μας απωθημένα στοιχεία πάνω στο παιδί. Η ύπαρξη του παιδιού όμως κάτω από τα μάτια μας δε μας επιτρέπει να τα αγνοούμε. Διότι έχει γίνει πια ο καθρέφτης μας. Μας αντανακλά ως καθρέφτης είτε συνειδητά, είτε ασυνείδητα, το δεύτερο συμβαίνει συχνότερα.

Το ξέρω, από την αρχή το ομολόγησα, ότι μεγαλύτερες κοινοτοπίες δε θα έβρισκα να σας πω!... Πως όλα τούτα που πεισματικά λέω και ξαναλέω, ασφαλώς γιατί δεν τα χωνεύω και δεν τα αφομοιώνω σωστά ούτε εγώ, και επιζητώ να τα φωνάζω, όλοι τα ξέρετε καλύτερα από μένα, παντού τα αντικρίζει κανείς, παντού τα ακούει. Ειπωμένα σε εκπομπές, σε σχολές γονέων, σε διαλέξεις, σε γραφεία ψυχολόγων, σε παρέες, σε ειδικές στήλες εφημερίδων και περιοδικών, ειδικών περιοδικών ή ακόμη και στήλες του *λάιφ στάιλ*. Η ψυχολογία, οι αυτογνωσίες, η αυτοβελτίωση είναι της μόδας. Όμως, ενώ συνεχώς λέγονται, δε μας προβληματίζουν στα σοβαρά, μας εντυπωσιάζουν, μας ενθουσιάζουν τη στιγμή που τα ακούμε και τα διαβάζουμε, αλλά στην καθημερινότητα δεν προσπαθούμε ειλικρινά για την εφαρμογή τους.

Τα παιδιά όμως, όσο είναι μικρά και άδολα, τις πιάνουν τούτες τις διαφορές μας, τις αντιφάσεις μας και ιδίως τις ασυνέπειες, τα μικρά παιδιά είναι πιο σοβαρά και συνεπή απ' τους ενηλίκους. Τα παιδιά δυσκολεύονται να βρουν τις αντίστοιχες λέξεις (και άραγε υπάρχουν όλες οι αντίστοιχες λέξεις για όσα βαθιά και μυστικά παίζονται μέσα μας;), δυσκολεύονται να αφηγηθούν όσα νιώθουν, κι αν πάλι δε δυσκολεύονται αλλά μπορούν να τα πουν, φοβούνται να μας τα φανερώσουν, επειδή αν τα ακούσουμε θα γίνουμε ή θυμωμένοι ή ράκη, άρρωστοι, υστερικοί, καταδυστυχισμένοι ή έξαλλοι και δεν αντέχουν να μας αντιμετωπίσουν. Όμως τα συναισθήματα των μικρών παιδιών, όπως και η συναισθηματική αντίληψή τους είναι ωκεάνια.

Ας πραγματωθούν κάποτε οι σοφές κοινοτοπίες που μόνο λέγονται, κι επειδή ακριβώς λέγονται θεωρούμε ότι συμβαίνουν. Με αυτόν τον παράλογο μηχανισμό της σημερινής ζωής, όπου ό,τι λέγεται πειστικά, ξανά και ξανά, μας καθησυχάζει και ως γεγονός. Ό,τι γράφεται σε εφημερίδες και βιβλία θεωρούμε ότι έτσι συμβαίνει. Ό,τι ακούμε και βλέπουμε σε εκπομπές πιστεύουμε ότι γράφει ιστορία, απουσιάζει όλο και πιο επικίνδυνα ο προσωπικός στοχασμός ο ανεξάρτητος, απουσιάζει η προσωπική συνομιλία. Μόνο οι ανεξάρτητοι, εκείνοι που έχουν ελεύθερες ψυχές, μπορούν να κάνουν προσωπικές συνομιλίες, οι υπόλοιποι ανταλλάσσουμε φλύαρα κλισέ και διάφορες πόζες.

Με αυτόν τον τρόπο, της εσωτερικής δύναμης, της καρδιακής ευφυΐας, η ζωή θα σταθεροποιηθεί αλλιώς, η καρίνα του καραβιού της θα ορθοποδήσει και θα πλεύσει. Οι ορίζοντες θα μετατοπιστούν και το βλέμμα μας θα μπορεί να κοιτάξει ακόμη πιο μακριά. Είναι γνωστό πως κανένας δεν μπορεί να δει πέρα από τον ορίζοντά του. Όμως έτσι γενναία πλέοντας μπροστά, ο άνθρωπος από μικρός θα αναπτύσσεται κατά το μέγεθος και το μεγαλείο για το οποίο πλάστηκε. Όχι, δεν ανταποκρινόμαστε όσο μεγαλώνουμε σε εκείνο για το οποίο πλαστήκαμε. Δεν αγγίζουμε το όνειρο του Θεού για εμάς. Κι αν μοίρα μας είναι ο χαρακτήρας μας, ο αυθεντικός χαρακτήρας, που μας δόθηκε, εύκολα παραποιείται και αλλοιώνεται, στρίβει από των αληθινών του χαρισμάτων την τροχιά και μπαίνει στα στενοσόκακα των νευρώσεων.

Η μεγάλη κρίση, που τα τελευταία χρόνια μαστίζει τη χώρα μας και όχι μόνο, ενισχύεται και αυξάνεται από τον πανικό για τις υλικές μας απώλειες, για την απειλή κάθε γνωστής εξουσίας που ήταν σίγουρη πως κυβερνά και θα κυβερνά εσαεί. Οι γνωστές θεωρίες όλων των παλιών προσανατολισμών παταγωδώς έσκασαν κάτω και μας τραυμάτισαν άλλους σαν βόμβες κι άλλους σαν βεγγαλικά. Η απογοήτευση για τις παλιές μας ιδέες, τις γνώμες, κυρίως τις βεβαιότητες, προκάλεσε γενικές ψυχοπαθολογίες και αύξηση της ατομικής και κοινωνικής ανασφάλειας. Η κοινωνική ανασφάλεια πυροδοτεί την ατομική, και τα ψυχολογικά προβλήματα του ενός μεταγγίζονται στον άλλο σαν μόλυνση. Ακόμη και οι κυβερνήτες φαίνονται ανασφαλείς και σαστισμένοι, αδυνατούν να μας στηρίξουν, πολύ περισσότερο αδυνατούν να μας εμπνεύσουν. Η κοινωνική γενική ψυχολογία είναι γνωστό πόσο επηρεάζει την ανάπτυξη, αλλά αυτή πια η γενική ψυχολογία έχει καταβαραθρωθεί. Δεν ελπίζει σε επιτυχίες. Είναι μέρες που σε τίποτα δεν ελπίζει, μονάχα φοβάται το ακόμη χειρότερο.

Απορώ και θαυμάζω πώς τα νέα παιδιά αποφασίζουν συνειδητά να αποκτήσουν παιδί! Αγνοώ πως εγώ έχω μεγαλώσει, ενώ εκείνα είναι νέα, και μου κάνει εντύπωση το θάρρος τους. Όταν η Αλέσια και ο Γιώργης μάς ανακοίνωσαν πως είναι έγκυος, μετά την έκπληξη, τη συγκίνηση, τις φωνές, την έκρηξη της χαράς, τις αγκαλιές, όταν καταλάγιασε το υπέροχο χριστουγεννιάτικο κύμα που ξάφνου μας κάλυψε με εκπληκτική ευφορία, τα κοιτούσα μόνη μου κι έλεγα μέσα μου: Για δες τούτα τα δυο νέα παιδιά που αγαπιούνται και χαίρονται τη σχετικά εύκολη ζωή τους, που χαίρονται ελεύθερα σπουδές, δουλειά, καριέρα, περιπάτους, ταξίδια, ύπνο, πώς αποφασίζουν να μπουν στη δύσκολη, στη θυσιαστική περιπέτεια του να γίνεις γονιός. Την απώλεια της ανεμελιάς, τις ισόβιες πια ανησυχίες, την αγωνία που μπολιάζεται στο στομάχι σου από τη στιγμή του τοκετού. Συνειδητά αποχαιρετούν την ξέγνοιαστη νιότη τους και με απόφαση δικιά τους περνούν στην απόλυτη αδιάκοπη ευθύνη... Και μάλιστα σε καιρούς δύσκολους για τη χώρα, το μέλλον, τις ευκαιρίες. Τι δύναμη που έχει η φύση στο αίμα μας, στα κύτταρα, στην ίδια την καρδιά μας! Τι δύναμη να σε ωθεί να αποχαιρετάς την ευκολία για τα δύσκολα, να λαχταράς τα δύσκολα άνευ όρων!

Μέχρι πριν από κάποια χρόνια, χρόνια που ονομάζουμε χρόνια της κρίσης, όπως λέει ο Μάρκες *χρόνια της χολέρας* στο διάσημο βιβλίο του, είχαμε ταυτιστεί με το έχει μας και περιφρονήσαμε το είναι μας, το μόνο που όντως υπάρχει. Δίχως γερό, σοφό είναι, εξαερώνεσαι και τρέμεις στα πόδια σου σαν υποσιτισμένος στρατιώτης, ετοιμοθάνατος που επιστρέφει από ακόμη έναν μάταιο, χαζό πόλεμο, γεμάτο μάταιους, χαζούς θανάτους.

Δεν ήρθαν τα πράγματα όμως έτσι όπως πιστεύαμε, τα δεδομένα μάς πρόδωσαν γιατί δεν ήταν δεδομένα, στην άμμο τα χτίσαμε, άμμο που, για ευκολία, επιπόλαια εκλάβαμε για βράχο. Όλα σχεδόν ανατράπηκαν, κι αυτή η ανατροπή, η σοφή, διδακτική και αναμενόμενη για τους μυαλωμένους ανατροπή, κακώς δεν αναμενόταν, και ως παντελώς απρόβλεπτη τρομοκρατεί. Είχαμε ταυτίσει το υπάρχω με την ευμάρεια και τις υλικές ευκολίες, με την πλούσια ακριβή όψη, με τις εντυπώσεις της πρώτης ματιάς, με τις πειραγμένες μας φωτογραφίες. Ούτε καν φωτογραφίες δεν είχαμε γίνει, είχαμε γίνει ρετούς. Μόλις αυτά κλονίστηκαν, και δε σταματούν να κλονίζονται, η Δυτική κοινωνία αρρώστησε από κρίση πανικού και τα κάνει όλα σπασμωδικά και επικίνδυνα. Παραήταν αυτάρκης και αυτάρεσκη για να αντέξει την αποτυχία, τα απρόσμενα παθήματά της, για να αναλύσει και να κατανοήσει τις ήττες της. Δίχως διάγνωση αποκλείεται να βρούμε θεραπεία, και η διάγνωση απαιτεί ειλικρίνεια από μέρους και του ασθενούς και του γιατρού, πρωτίστως του ασθενούς. Ο γιατρός ακολουθεί την εξομολόγηση με τα δικά του συμπεράσματα.

Μια και δεν προσφέρονται αυθεντικές πνευματικές αναφορές στην παιδεία, οι ψυχασθένειες, οι καταθλίψεις, οι αυτοκτονίες, η απελπισία, το αλκοόλ, οι ουσίες και όλα τα ψυχοτροπικά, το άκρατο φονικό μίσος που εμφανίστηκε ανάμεσα σε κάθε λογής παλαβές παρατάξεις, σαν πανδημία όλα τούτα, δε βρίσκονται όπλα και μέσα ώστε να αντιδράσουν λαός και εξουσία υγιώς, ούτε καν για να κρίνουν συνετά. Κραυγές, βόμβες και πυροβολισμοί, θρίλερ δελτία ειδήσεων και καθολικός τρόμος αντικατέστησαν τον περίφημο δυτικότροπο Ορθό Λόγο, κινδυνεύοντας να μη μείνει τίποτα όρθιο και ορθό. Όλα κατάντησαν αβέβαια –σήμερα ζούμε, αύριο βρισκόμαστε διαμελισμένοι σε μια συναυλία ροκ–, εχθρικά, παρανοϊκά, ασύλληπτα μισαλλόδοξα και απρόβλεπτα. Και το απρόβλεπτο είπαμε τρελαίνει, ασφαλώς κατά πολύ χειρότερα άμα δεν έχεις θεμέλιο ψυχικό για καταφύγιο.

Κατά την ψυχολογία που γενικώς θεμελιώνεται ή προσπαθεί να θεμελιώνεται σε μια βαθύτερη και σοβαρή κοινή λογική, τα πιο προβληματικά παιδιά έχουν γονείς απρόβλεπτους. Ιδίως απρόβλεπτη στις αντιδράσεις της μητέρα. Το μικρό παιδί έχει ανάγκη κάτι σταθερό και ακλόνητο, κάτι λογικό, με την έννοια της συνέπειας, της σύνεσης, της ωριμότητας. Αν η μητέρα φέρεται νυχθημερόν απροσδόκητα, δίχως έναν μεταξύ τους σταθερό βέβαιο νόμο, το παιδί εκτίθεται διαρκώς σε φόβο και ανησυχία για το τι θα ακολουθήσει από στιγμή σε στιγμή. Ζει πια όχι ζώντας αυθόρμητα, αλλά αμυνόμενο και χτίζοντας αμυντικούς μηχανισμούς. Οι αμυντικοί μηχανισμοί αποτελούν σίγουρα ένα υγιές μέρος της ανθρώπινης ανάπτυξης, όμως όταν το παρακάνουν, όταν καταλήξουν υπερβολικοί και υπερβολικά πολλοί, ο άνθρωπος αποκτά ψευδοπρόσωπο, αποκλείεται από την πραγματικότητα ως απομονωμένος, και όπως κάθε ψευδοπρόσωπο πλημμυρίζει από διαρκές ανικανοποίητο και από κρυφό τρόμο.

Μετανοώ σημαίνει αλλάζω τα κριτήρια που κρίνω τα συμβάντα, που κρίνω τον εαυτό μου και τους άλλους μου, μεταμορφώνομαι δηλαδή κατά το ωριμότερο και το αυθεντικότερο, μεταμορφώνοντας έτσι και τον γύρω μου κύκλο, όλους τους κύκλους τους επάλληλους, σαν την πέτρα που πέφτει και αλλάζει την επιφάνεια μιας λίμνης από τέλμα σε μικρό ωκεανό. Αλλά αυτό δεν υπάρχει για τους περισσότερους. Ο πολύς τρόμος αποκτηνώνει και επιστρέφουμε στον απειλούμενο πρωτόγονο εαυτό μας που θεωρούσαμε ότι είχαμε αφήσει πίσω από αιώνες αιώνων πριν. Τα ένστικτα ποτέ δε νεκρώνονται, γι' αυτό και οι κυβερνήτες των λαών θα πρέπει επιμελέστατα να προσέχουν το τι καλλιεργούν. Εκτός αν αυτό ακριβώς επιθυμούν να πετύχουν, τρομοκρατημένους πολίτες δηλαδή, για ένα ζοφερό δικό τους συμφέρον.

Κι όμως... Και παρά ταύτα! Ακόμη κι έτσι όπως καταντήσαμε...

Η ιστορία της ανθρωπότητας συστηματικά υποδεικνύει πως τα σπουδαία έργα, τα πνευματικά άλματα, οι μεγάλοι γνήσιοι έρωτες, οι εντυπωσιακοί ηρωισμοί, που μας επιστρέφουν κάποτε πίσω τη χαμένη αξιοπρέπειά μας, άνθισαν σε ερείπια ζόρικων, δύσκολων, καταρρακωμένων, ενίοτε και απάνθρωπων, μισάνθρωπων καιρών. Φτάνει να υπάρχει μια κάποια φωτεινή γενναιότητα. Και η πιο μεγάλη γενναιότητα είναι να έχεις τη δύναμη να αντικρίζεις την αλήθεια και να δρας σύμφωνα μ' αυτήν.

Αλλά και σε κάθε καιρό!

Μια και ο καιρός, από συνοικία σε συνοικία της ίδιας

πολιτείας, είναι άλλος, παιδιά που μεγαλώνουν σε υπόγεια γνωρίζουν καλύτερα τη γειτονιά τους και τους γείτονές τους από παιδιά που ανατρέφονται σε ακριβά ρετιρέ με απλωμένη σε πανόραμα όλη τη θέα της πόλης και της θάλασσας. Της απόμακρης πόλης, της απόμακρης θάλασσας, του πολύ πιο απόμακρου ουρανού. Υπάρχουν φυλακισμένοι που μελετούν τον ουρανό, τα άστρα και τους αστερισμούς μέσα από την τρύπα του κελιού τους και γνωρίζουν για το διάβα και τα μυστικά τους πολύ περισσότερα από όσα εμείς όταν κατασκηνώνουμε σε χρυσές παραλίες και ολονυχτίς ατενίζουμε, ξαπλωμένοι και πανελεύθεροι, τον άπλετο θόλο.

Στα υπόγεια, στα κελιά, στο περιθώριο, σε στάβλους αλόγων και ζώων, σε σπηλιές σπηλαιωτών έχουν γεννηθεί, αναtραφεί και εκπαιδευτεί μεγάλες ψυχές, μεγάλες ζωές.

Η γειτονιά, ο κόσμος, ο ουρανός, η σημαντική γνώση απ' αυτές τις ψυχές μπορούν να κατακτηθούν.

Γιατί τους έλειψαν!

Το βασικό παιχνίδι τού έχω και του δεν έχω, του χαίρομαι και του στερούμαι. Η αναβολή της ικανοποίησης έχει μελετηθεί από φιλοσόφους, θεολόγους και ψυχολόγους ως σημαντική άσκηση χαρακτήρα και ψυχής για τη ζωή μας όλη. Δύσκολο παιχνίδι ύπαρξης, φαίνεται να ενδιαφέρει ιδιαίτερα ακόμη και τον Θεό. Η άσκηση των νηστειών που οι περισσότερες θρησκείες ζητούν από τους πιστούς τους έχει μεγάλη αξία για την ανάπτυξη. Και ο Θεός συχνά αργεί. Αυτός κι αν μας καθυστερεί ικανοποιήσεις, αποκρίσεις και αιτήματα… Αυτός κι αν μας ασκεί στην καρτερία και την υπομονή…

Μεγάλη δύναμη το μου έλειψε, το μου έλειψες... Μεγάλη έμπνευση το μου λείπεις! Σχολείο και κίνητρο και έμπνευση και ιδέα η απόσταση ανάμεσα στο θέλω και το έχω. Πράξη, επιστράτευση, εφαρμογή ιδέας το κυριότερο, αφού ο πόθος δε σ' αφήνει να κάνεις αλλιώς. Σε κουρδίζει, σε κινητοποιεί, υποφέρεις και καίγεσαι αλλιώς.

Ο πόθος είναι πάντα επιτακτικός, αγωνιά για την άμεση, αμεσότατη ικανοποίησή του, έχει δύναμη ενστίκτου, μπορεί να είναι και γνήσιο ένστικτο, και σε σέρνει από τη μύτη άμα είναι ισχυρός, μεταμορφώνει τους οκνηρούς, τους αναβλητικούς και τους τεμπέληδες σε δραστήριους εργάτες στόχων. Δραστηριοποιεί και τα πιο τεμπέλικα μυαλά ώστε επιτέλους να πάρουν στροφές και να να γίνουν ευρηματικότατοι ακόμη και οι πιο χωρίς φαντασία χαρακτήρες. *Το αγώι ξυπνάει τον αγωγιάτη*, λένε στην Κρήτη και πιθανό κι αλλού.

Η ιδέα μονάχα στην πράξη της κρίνεται, και όποια ιδέα δεν κατάφερε τελικά να πραγματωθεί ήταν γιατί έπασχε η ίδια η ιδέα. Έπασχε κι εκείνος που τη διάλεξε για ιδέα του.

Έχω ένα ρολόι μεγαλούτσικο με ξύλινο πλαίσιο στον τοίχο της κουζίνας, μου το χάρισε πριν από χρόνια η φίλη μου η Τίτσα Πιπίνου και από τότε υπάρχει εκεί δουλεύοντας φιλότιμα και χωρίς σταματημό. Η θέση όμως που βρίσκεται δε βοηθάει να μπει στη ζωή μου η ώρα που δείχνει. Δεν το κοιτάζω.

Πριν από λίγο καιρό, ένα άλλο πολύ χρήσιμο ρολόι που έχω ακουμπήσει αλλού στο σπίτι χάλασε. Παρά τις πολλές προσπάθειές μου δεν έλεγε να στρώσει, με θύμωσε και το πέταξα στη σακούλα με τα σκουπίδια. Ο ανιμισμός των μικρών παιδιών που εκλαμβάνουν σαν έμψυχα τα άψυχα αντικείμενα μας κυνηγάει σε μικρότερο ευτυχώς βαθμό και στην ενήλικη ζωή μας. Ιδίως άμα τα συναισθήματά μας εντείνονται, ιδίως στους μεγάλους θυμούς. (Τι άλλο είναι εξάλλου το να ξυλοφορτώνουμε ένα μαξιλάρι με μανία προκειμένου να ηρεμήσουν τα νεύρα μας; Το συνιστούν και ψυχολόγοι ένα τέτοιο ξέσπασμα.) Μην έχοντας λοιπόν κι εγώ ρολόι στο καθιστικό, που μου χρειάζεται, ξεκρέμασα το ξύλινο ρολόι της Τίτσας και το μετακόμισα εκεί, πάνω από τον καναπέ. Όλα καλά στο σπίτι πάλι εκτός από τον χώρο της κουζίνας. Γιατί στην κουζίνα άρχισα να διαπιστώνω πως δεν είχα ιδέα για τη σχέση μου με το ξύλινο ρολόι που τώρα έλειπε από τον τοίχο. Κάθε λίγο και λιγάκι γύριζα προς τον τοίχο να δω την ώρα και έβλεπα το τωρινό κενό. Μου έκανε εντύπωση πόσο συχνά γύριζα να δω την ώρα, πόσο χρειαζόμουν το ρολόι που μετακόμισα, πόσο δεν είχα μετρήσει σωστά τη σημασία του στον χώρο, τη σχέση μου μαζί του. Κατάντησε πρόβλημα. Αναγκάστηκα να το επιστρέψω και να το ξανακρεμάσω εκεί ακριβώς που πάντα επί χρόνια αμελητέο βρισκόταν, ώστε να ηρεμήσουν τα πράγματα. Ναι, όσο υπήρχε στη θέση του καθόλου δεν είχα αξιολογήσει την ανάγκη μου, την πραγματική ανάγκη μου μαζί του. Χρειάστηκε η απώλεια και η απουσία του, και ευτυχώς σ' αυτήν την περίπτωση η απώλεια μπορούσε να αποκατασταθεί. Αλίμονο στις άλλες που δε γίνεται, τις απώλειες που απρόσμενα μας λείπουν και που παραμένουν παντοτινά απώλειες…

Οι νέοι άνθρωποι, πριν αποκτήσουν παιδί, ισχυρίζονται

με πείσμα πως τα παιδιά τα διαμορφώνει σαν χαρακτήρα η σωστή ανατροφή. Για τα δικά τους λάθη, παθήματα και ελαττώματα κατηγορούν τους γονείς τους, πως από τα λάθη τους βλάφτηκαν. Αυτά λένε οι ψυχαναλυτικές θεωρίες, κυρίως των φροϊδικών, των επιγόνων του Φρόιντ, μια και οι επίγονοι είναι συνήθως κατώτεροι από τον Δάσκαλό τους και άτεγκτα απολυτοποιούν τις ιδέες του. Δε βρίσκεις εύκολα ψυχολόγο ικανό να διεισδύει με λεπτά λεπτούτσικα, ευαίσθητα όργανα στη βαθιά ψυχολογία του αναλυόμενού του. Τα κλισέ που διδάχτηκε τα κάνει καλούπια και μέσα τους σπρώχνει σαν το ζυμάρι το χοντρό, που δε χωρά, έναν πελάτη.

Οι νέοι, πριν γίνουν γονείς λοιπόν, και όσο ακόμη ονειρεύονται τα μελλοντικά τέκνα τους, είναι απολύτως βέβαιοι ότι εκείνοι, με τις γνώσεις και τη μόρφωσή τους, με όσα πάθανε και νομίζουν πως μάθανε, θα μεγαλώσουν αργότερα ένα παιδί τέλειο, κι αν όχι απολύτως τέλειο, ένα παιδί θαυμάσιο, σίγουρα θα το καταφέρουν. Ήδη το φαντασιώνονται το παιδί τους και τα επιτεύγματά του ερήμην του. Και σε τι δεν είμαστε «απολύτως βέβαιοι» άμα είμαστε πολύ νέοι!

Έλα όμως που κάποτε αποκτούν αληθινό παιδί. Κι από την πρώτη στιγμή τα πράγματα φανερώνονται πιο ζόρικα, άγνωστα και απρόβλεπτα από όσο τα φαντασιώνονταν, ενώ οι εξελίξεις τούς διαψεύδουν. Σε έναν βαθμό έστω, το παιδί αποδεικνύεται ακατάκτητο και απροσδόκητο, ατίθασα ελεύθερο στα δικά του απρόσμενα θέλω, ώρες ώρες τούς φαίνεται για παιδί ξένο.

Καθένας μας είναι εντέλει ξένος για τους υπόλοιπους, ακόμη και για τους γονείς του, ιδίως για τους γονείς του ενίοτε. Στην προεφηβεία του θα ξεκινήσει για τους γονείς ένα όργιο εκπλήξεων!

Οι τεχνικές των γονιών, λοιπόν, όπως τις οραματίστηκαν πριν γίνουν γονείς, δεν πιάνουν και τόσο, η μόρφωσή τους αποδεικνύεται ανεπαρκής, οι αντοχές τους ασθενέστερες και όλο και πιο σαραβαλιασμένες, το παιδί είναι ένα καινούργιο ασύλληπτο πλασματάκι που δεν ανήκει στις κατηγορίες που από τα βιβλία με ζήλο έμαθαν. Το «θέλω» του δεν παλεύεται εύκολα, κατά κανόνα σ' αυτήν την πάλη οι γονείς υποχωρούν πρώτοι, εξάλλου ούτε ο Πατέρας-Θεός πείραξε ποτέ το θέλω κανενός ανθρώπου. Η Εύα πρώτη και καλύτερη είπε από νωρίς νωρίς το δικό της «έτσι θέλω» και δραπέτευσε.

Αρχίζουν τότε να διαδίδουν οι καταπτοημένοι νέοι γονείς πως τα παιδιά γεννιούνται, δε γίνονται, πως τα γονίδια που έχουν λάβει από εκατοντάδες γνωστούς και άγνωστους προγόνους, από εκατοντάδες προηγούμενες γενιές, έχουν την πιο καταλυτική ισχύ στον άνθρωπο. Η κληρονομικότητα είναι φοβερή, πιστεύουν τώρα. Πώς να τα βγάλεις πέρα με άγνωστα γονίδια, αταίριαστα αρκετά απ' αυτά με τον δικό σου χαρακτήρα. Δεν μπορείς!

Έχω πιάσει κι εγώ τον εαυτό μου να μονολογεί πόσο ο Γιώργης θυμίζει τον μπαμπά του, τον παππού του, τον τάδε θείο μου όταν κάνει πράγματα που δε συμφωνώ. Πόσο μου μοιάζει τελικά εμένα, πιστό μου αντίγραφο, όταν φέρεται όμορφα, όταν τα καταφέρνει τόσο ωραία!

Με τα γονίδια λοιπόν δεν μπορείς να τα βγάλεις πέρα, καταλήγεις για παρηγοριά.

Μπορείς, μπορείς, απλώς εκείνα που έμαθες πριν μπεις στον χορό να χορέψεις, σε συνδυασμό με τον παλαβό εγωισμό σου, δεν είναι ό,τι πιο κατάλληλο για να εκπαιδεύσουν φυσιολογικά και σωστά το σπλάχνο σου. Και το έξυπνο σπλάχνο σου χάνει από νωρίς εμπιστοσύνη και εκτίμηση για τα μυαλά και τις συμπεριφορές των γονιών του. Αρχίζει τότε η μάχη όλων των μαχών που την ονομάζουμε: *Η μάχη των γενεών.*

Τι θαυμαστή δύναμη η προσωπική δίψα! Η δίψα η δικιά σου, η μοναδική, που κάπου μοιάζει και κάπου δε μοιάζει με τη δίψα των άλλων. Αλλού επικοινωνούμε και συνεννοούμαστε, αλλού διαφέρουν τα γούστα μας και γεμίζουμε παρεξηγήσεις. Μακάρι να μπορέσουμε να σταλάξουμε τη σταγόνα δίψας για ζωή και γνώση στο Μαράκι. Σιγά σιγά και απλά.

Η ίδια σύντομα, σε δυο τρεις μήνες, θα εκδηλώσει πως η δική της έμφυτη δίψα για γνώση είναι αδάμαστη. Η περιέργεια και η μανία εξερεύνησης θα εμφανιστούν από νωρίς στα μάτια της, στα αεικίνητα χεράκια της, στις μικρές κραυγές έκπληξης. Θα ξεκινήσει με μεγαλωμένα, περίεργα μάτια να ερευνά το καθετί γύρω που πέφτει στην ξύπνια αντίληψή της, θα καίγεται να σκύψει ολόκληρο το τόσο δα κορμάκι της να τα παρατηρήσει, και τα πιο άσχετα, και τα πιο μικρά, να τα πιάσει, να τα γυρίσει ανάποδα και να τα εξετάσει και από την άλλη μεριά, να τα καταλήξει πάντα στο στόμα της, στο εργαστήριο έρευνας των πιο μικρών επιστημόνων. Δύσκολα ξεκολλάει από ένα καινούργιο αντικείμενο αν δε βγάλει συμπέρασμα για το τι περίπου είναι. Τα πάνινα παιχνιδάκια της, ένα περιτύλιγμα ζελατίνης που κάνει *κρουτς κρουτς*, το δαχτυλίδι μου στο δάχτυλο και κάθε κουμπί που έχουμε πάνω μας, τα γυαλάκια του μπαμπά της, ένα μικρό σημαδάκι από κάψιμο φούρνου στο χέρι μου προς τον αγκώνα. Σκύβει και με παρατηρητικότητα σχολαστικού μικροβιολόγου προσπαθεί να τα εξετάσει αν γινόταν και με μικροσκόπιο. Είναι το μικρόβιο και ο μικροβιολόγος η ίδια!

Η δίψα των μωρών, αυτή η πρώιμη, ξαφνική, συγκινητική δίψα να μελετήσουν τη γη όπου βρέθηκαν, το σπίτι όπου βρέθηκαν, το κρεβατάκι όπου βρέθηκαν, το παρκάκι, την αγκαλιά, τα γύρω πρόσωπα, είναι μια μέγιστη ευκαιρία να ανταποκριθείς και να βοηθήσεις να γίνει η ζωή τους πάντα ενδιαφέρουσα. Ζωή με ενδιαφέροντα δηλαδή, ο μόνος τρόπος να σώζεσαι από τις δύσκολες εποχές και κυρίως από την επάρατη πλήξη.

Τουλάχιστον οι γονείς του μωρού μας σίγουρα θα την ωθήσουν σε γνώσεις που η δίψα της ήδη αναζητά. Την έχουν και οι ίδιοι αρκετή και είναι εργατικότατοι στο να αποζητούν τη μάθηση, το ωραίο, το περίεργο, το καινούργιο, το πιο καλό. Και οι δύο φαντάζουν ταγμένοι από μικροί σε τούτο τον ζήλο, του αιώνιου μαθητή, του αιωνίως εκπαιδευόμενου. Και τώρα, με τη γέννα, τους βλέπω πώς μέσα σε λίγες μέρες μεγάλωσαν, ωρίμασαν, η έγνοια του παιδιού έγινε το επίκεντρο της μέρας τους, εγκαθίσταται στην ψυχή τους μια αγωνία ισόβια. Θα παλεύουν και θα επωφελούνται απ' αυτή την αγωνία και θα αναπτύσσονται. Τίποτα, τίποτα δεν μπορεί να υποκαταστήσει τη θητεία αυτή. Γελώ και ίσως ενοχλούμαι με όσους λένε «εγώ δε χρειάζομαι να γεννήσω παιδιά, μα εμένα παιδιά μου είναι τα βιβλία μου! Οι πίνακες που ζωγραφίζω, ο αθλητισμός μου, τα τραγούδια μου, η επιχείρησή μου!» Αν είναι δυνατόν και Κύριε, ελέησον!

Η ενηλικίωση του ανθρώπου αρχίζει άμα αποκτήσει και αναλάβει παιδί. Παιδί παιδένιο, με σάρκα και αίμα, καρδιά και στομάχι, και ποπό, ποδαράκια που τα μαθαίνεις να πάνε από εδώ κι αυτά στρίβουν στο από εκεί. Και κυρίως παιδί με αντίσταση και δική του προσωπικότητα, και που το έχει βάλει σκοπό να συναντηθεί αλλά και να πολεμήσει με τη δικιά σου. Είναι αγάπη έως θανάτου προσώπου με πρόσωπο, ζόρικη μοίρα. Μπορεί να σε σκοτώσει η μοίρα αυτή, σίγουρα όμως σε ανασταίνει. Όχι, η επαφή ενός καλλιτέχνη με τις σελίδες που γράφει και σβήνει, καταπώς επιθυμεί, ή ο μουσαμάς και το καναβάτσο που βουβό υπομένει τις μουντζούρες μας δεν είναι ασφαλώς παιδιά. Έχω γράψει πολύ, έχω ζωγραφίσει λιγότερο, για να το προσέξω έγκαιρα πως τίποτα μα τίποτα απ' αυτά τα «δημιουργήματα» δεν έχει σχέση με τη σχέση μου με τον Γιώργη. Άλλος κόσμος, άλλη διάσταση, άλλη ποιότητα, άλλη εγώ, καμιά σύγκριση με του γιου μου τον ισόβιο καημό.

Αν τα λέω τώρα όσα λέω είναι γιατί η προσφορά, η έλλειψη και η δίψα παίζουν πρωταρχικό ρόλο στο μεγάλωμα ενός μωρού, ενός παιδιού, ενός εφήβου. Ενός παντοτινού παιδιού σου όσο ζεις, ίσως και μετά τον θάνατό σου. Το έχω ξαναπεί ότι έχω δει σε όνειρα τους πεθαμένους γονείς μου πάλι να ανησυχούν από το Εκεί τους για εμάς εδώ. Δεν ήταν όνειρα καμωμένα από δικές μου σκέψεις και μνήμες, ήταν άλλης ποιότητας εμφανίσεις τους στον ύπνο μου, ή τις στιγμές που ξυπνώ. Κάτι στα πολύ βαθιά της καρδιάς μου είναι βέβαιο, και τα σχετικά γεγονότα που ακολούθησαν το όνειρο μου το επιβεβαίωσαν.

Και τώρα εμείς έχουμε μπροστά μας το μωρό μας! Εκείνο «εφ' ω ετάχθη» ας φροντίσει παραπάνω ο καθένας μας. Γιατί «αυτό που σου δίνεται» είναι το σημαντικότερο χρέος-έργο σου, προκειμένου επιτέλους να εφαρμόσεις τα πιστεύω σου και τις ωραίες σου, εντυπωσιακές ιδέες. Είναι η ευκαιρία σου να εφαρμόσεις το όντως υπάρχω, το όντως θέλω, το πάση θυσία.

Ο Ιησούς, στο τέλος της φλογερής πεζοπορίας του πάνω στη γη, απευθύνθηκε στον Θεό κατά τον Μυστικό Δείπνο, σ' εκείνη τη σπαραχτική Αρχιερατική προσευχή που διαβάζεται με κατάνυξη τη Μεγάλη Πέμπτη της Σταύρωσης, πρώτη από τα Δώδεκα Ευαγγέλια. Απευθύνθηκε στον Πατέρα του και τον διαβεβαίωσε πως «αυτούς που μου εμπιστεύτηκες» τους κράτησα σώους, πλην του υιού της απωλείας. Πρωταρχικά δηλαδή φρόντισε εκείνους τους λίγους, τους δώδεκα μαθητές. Δεν απολογήθηκε στον Πατέρα για την ανθρωπότητα όλη! Άλλο αυτό...

Προσωπικά και όλο και περισσότερο τείνω να παρατηρώ ιδιαίτερα προσεχτικά τι έχει κάνει με τα παιδιά του ο καθένας μας. Ακόμη και αν είναι, που είναι, παιδιά που φέρουν πλήθος από γονίδια προγόνων, η συνύπαρξή τους με τούτον εδώ τον γονιό, η συμμετοχή του στην αγωγή, οι συμπεριφορές και πάνω απ' όλα το παράδειγμά του, έχουν παίξει ρόλο καταλυτικό στο τι ποιότητας παιδί είναι σήμερα το δικό του. Η ποιότητα νομίζω είναι απ' αυτά που μαθαίνονται. Και βέβαια κάποιες ουσιώδεις αξίες. Και η Αγάπη! Η αγάπη που είναι ενεργειακό πεδίο ανάμεσα σε δυο αληθινά, ζωντανά πλάσματα, και όχι απόρροια γονιδίων. Γιατί η αγάπη είναι μόνο παρούσα και ζωντανή σαν τον ζωντανό Θεό.

Ιδίως από τον καιρό, και όπως είναι φυσικό, που άρχισα να σπουδάζω και να δουλεύω την ψυχοθεραπεία, με ψυχαναλυτική μάλιστα κατεύθυνση, συνδέσεις και συνδυασμοί παιδιού και γονέα είναι για το βλέμμα μου το πιο μοιραίο και αστραφτερό αντικείμενο. Φωτεινά αστραφτερό ή ζοφερά αστραφτερό, όπως δυστυχώς συχνά συναντάς κατά τις συνεδρίες. Τίποτα δεν προσέχω στον άλλον τόσο βαθιά, και ίσως καχύποπτα, όσο τη σχέση του με το παιδί του. Ούτε τα αριστουργηματικά γλυπτά του, ή τα βραβευμένα βιβλία του, ή τους πολιτικούς αγώνες του παρατηρώ σαν βασικά και κύρια που τον αποκαλύπτουν. Με τα παιδιά του πώς φέρθηκε; Πόσο τους στάθηκε; Πόσο τα φρόντισε; Πόσο νοιάστηκε να μάθει το πώς αξίζει να τα φροντίσει; Πόσο τα αγάπησε; Έμπρακτα τα αγάπησε εννοώ. Αργότερα και πολύ μετά ακολουθούν όλα τ' άλλα. Έργα, εργάκια και καλλιτεχνικά δημιουργήματα.

Το έχω ξαναγράψει, αλλά είναι τόσο αντιπροσωπευτικό σε όσα μας απασχολούν που δε γίνεται να μην το γράψω και τώρα. Είχα δει πριν από αρκετά χρόνια, τότε που ακόμη ζούσε ανάμεσά μας, μια συνέντευξη που έδωσε στην τηλεόραση ο θαυμάσιος συγγραφέας Ιάκωβος Καμπανέλλης. Διηγιόταν ότι μια μέρα πήγε και τον βρήκε στο σπίτι του ανάστατη κάποια νέα γυναίκα για να του διαβάσει ποίημά της. Αναφερόταν στην τότε τραγωδία της Αφρικής –και πότε δεν έχει η Αφρική μια τραγωδία–, μιλούσε με πάθος για τα σκελετωμένα παιδιά της Μπιάφρα, όταν εκείνα τα χρόνια οι φωτογραφίες τους πλημμύριζαν εφημερίδες και ειδήσεις της τηλεόρασης. Όσο διάβαζε στον Καμπανέλλη το μακρύ ποίημά της τόσο θρηνούσε όλο και πιο γοερά και αναρωτιόταν τι να κάνει, πώς να βοηθήσει, να στείλει δέματα, να ξεκινήσει εκστρατεία και εράνους, να ταξιδέψει στη Μαύρη Ήπειρο και να πάει κοντά τους;

Ο συγγραφέας ήδη γνώριζε από κοινή γνωστή ότι η ευαίσθητη ποιήτρια είχε προβλήματα στον γάμο της και είχε εγκαταλείψει το σπίτι της. Τα ταλαίπωρα παιδιά της, τα ίδια τα δικά της φυσικά παιδιά ανέλαβε με κόπους η μάνα της και ένας πατέρας αμήχανος και αδέξιος, πειραγμένος από τα καμώματά της. Την περίμενε να ολοκληρώσει το δακρύβρεχτο ποίημά της, να κλάψει ακόμη λίγο για την αδικία στην ανθρωπότητα, και της είπε όσο μπορούσε ψύχραιμος: «Πήγαινε τώρα στο σπίτι σου να φροντίσεις τα δικά σου παιδιά που σε αναζητάνε και έλα μετά να δούμε τι θα κάνεις για τα παιδιά της Αφρικής».

Ναι, είναι σχετικά εύκολο και απλό να σκέφτεται και να

στέλνει κανείς κάτι ευρώ για τα παιδιά του Τρίτου Κόσμου, να ηρεμεί λίγες τύψεις, ίσως και να υπερηφανεύεται κατά βάθος του, αλλά είναι εξαιρετικά δύσκολο να ξενυχτά πάνω από το μωρό του επί μήνες ενώ κλαίει και σπαράζει από τους μικρούς του κολικούς.

Οι γονείς, είναι ανθρώπινο, λαχταρούν να προσφέρουν στο μικρό τους εκείνο που στερήθηκαν οι ίδιοι στην παιδική τους ηλικία. Συνήθως, από μεγάλη λαχτάρα και αγάπη, αλλά και από αυτοαποζημίωση, το κάνουν άκριτα, ώστε έπειτα από μια γενιά στερημένων παιδιών να ακολουθεί μια γενιά παραχαϊδεμένων παιδιών. Το περίεργο εκ πρώτης όψεως είναι πως κατά τους νεότερους παιδοψυχολόγους τα παιδιά της στέρησης και τα παιδιά του κορεσμού εμφανίζουν με τον καιρό σχεδόν ίδιες νευρώσεις.

Ας μη σπεύδουμε να τους προσφέρουμε ό,τι στερηθήκαμε. Στο κάτω κάτω μπορεί να μην είναι αυτό του δικού τους γούστου. Δεν ήρθαν στη ζωή για δικές μας αναπληρώσεις, για τα απωθημένα μας, ούτε για να γίνουν κούκλες στο γλυκό νοσταλγικό παιχνίδι μας. Να συλλογιστούμε πρώτα μήπως εκείνη η παλιά δικιά μας στέρηση βοήθησε να είμαστε σήμερα πιο δυνατοί, πιο ώριμοι και πιο πονόψυχοι. Ποτέ άμετρα και απερίσκεπτα οι προσφορές και οι υποχωρήσεις. Η διάκριση, η δυσκολότερη των αρετών, είναι πάντα και παντού, ιδίως στην ανατροφή μιας νεόκοπης ψυχής, το κλειδί της υγείας, της ψυχικής και της σωματικής. Και δεν πρέπει να ξεχνάμε πόση συνάφεια υπάρχει ανάμεσα σε τούτες τις δυο. Είναι γνωστό όσο και ισχυρότατο εκείνο του Ζίγκμουντ Φρόιντ: *Κάθε ασθένεια είναι κατά βάθος ψυχασθένεια.*

Και ύστερα, το πανταχού παρών του άπειρου Θεού υπάρχει πανταχού. Όποιος έχει αποδεχθεί τη σταγόνα Θεού εντός του, τον σπόρο του, την πνοή του, πολύ εύκολα και απλά θα αισθάνεται στη ζωή του τη χαρά και την πλήρωση. Η παρουσία Θεού στην προσωπική ζωή χαρίζει πολύτιμη ασφάλεια, αίσθηση θείας πρόνοιας, και μειώνει κατά πολύ τους τρόμους. Ειδικά σήμερα που οι ανασφάλειες και οι πανικοί είναι οι Πληγές της Αιγύπτου για την αγχωμένη κοινωνία μας. Όμως, η θεία παρουσία Του σε στηρίζει και σε κάτι άλλο. Ομορφαίνει τη ζωή σου με πλούτο μυστήριο, μεγαλοποιεί τα όμορφα, ελαχιστοποιεί τα άσχημα μια και είναι από τη φύση του «Ο Ωραίος κάλλει». Επιδιορθώνει και ομορφαίνει και δυναμώνει όσα έχουμε, και τα πιο λίγα, και τα πιο φτωχά. Τον έχουμε ξαναπεί εκείνον τον γλυκό λόγο του Πόρτσια: *Μια μεγάλη καρδιά γεμίζει με ελάχιστα.*

Δεν είμαστε ούτε καλοί ούτε κακοί, είμαστε από όλα, το γράφει ο ανθρωπογνώστης Σαίξπηρ. Αυτό είναι το αποτέλεσμα της πλάσης μας και της πτώσης μας. Μας έχουν προικίσει σπόροι καλού και σπόροι κακού απ' τη στιγμή της σύλληψης στη μήτρα της μάνας. Όμως το ενδιαφέρον βρίσκεται στο πού στρέφουν το ποτιστήρι όσοι το κρατούν. Τι σου ποτίζουν, τι ποτίζεις κι εσύ ο ίδιος με την αναμφισβήτητη αυτονομία μεγαλώνοντας να κρατάς το ποτιστήρι σου και να το κλίνεις προς το σημείο όπου εσύ θες. Να δροσίζεις σπόρους καλούς και ενδιαφέροντες, έξυπνους, με νόημα, χαριτωμένους, θετικούς και να αφήνεις απότιστους τους άσχημους, σαθρούς σπόρους.

Είναι πάντοτε Αύγουστος και κάθομαι στη βεράντα μου στην Αθήνα. Τρομερά ζεστός, υγρός Αύγουστος, ο χειρότερος, όπως λέμε κάθε χρόνο. Πότε φυσάει και λες «υπάρχει Θεός», και πότε πέφτει υγρή άπνοια και λες «πάει, μας ξέχασε». Τα βάσανα της σάρκας παραμένουν κυκλοθυμικά, δειλά και γκρινιάρικα. Κοιτάζω απέναντι τις λίγες γλάστρες μου και ξαναπαρατηρώ τι γίνεται με εκείνες τις δυο, τις παράξενες. Η μια τους πάντα ανθίζει και ξανανθίζει τα υπέροχα άνθη της, όπως και να της φερθώ. Απορώ μαζί της! Και να την ξεχάσω, και να στεγνώσει, και να χειμωνιάσει, να τη δέρνει ο βοριάς, εκείνη τραβάει πάντα τον δημιουργικό της δρόμο στο ελάχιστο χώμα της. Της αρκούν φαίνεται λίγες σταγόνες βροχής πού και πού, στραγγίζει σαν καλή νοικοκυρά την υγρασία της νύχτας, και υφαίνει θαύματα. Πετάει φρέσκα, μεγάλα λουλούδια, πότε πορτοκαλιά, πότε κατακόκκινα, αστράφτουν φρεσκολουσμένα τα πράσινά της φύλλα. Είτε τη φροντίζω, είτε την ξεχνώ, η γλάστρα λάμπει σαν δόξα!

Και υπάρχει παραδίπλα η άλλη, λίγο πιο πέρα, ίδιο φυτό, ίδιο λουλούδι, από ίδιο φυτώριο αγορασμένο, λίγο νεότερο μάλιστα, που επιμένει να παραμένει μια σκέτη μιζέρια, μια θλίψη, μια γκρινιάρικη άρνηση. Το ποτίζω, του προσθέτω χώμα, του αλλάζω θέσεις, ήλιος, σκιά, συντροφιά, μοναξιά, τίποτα μα τίποτα, από όσα τουλάχιστον φτάνει ο νους μου για βοήθειά του, δεν το επηρεάζει. Ψηλώνει υπερβολικά σαν άχαρος ψηλολέλεκας, με κλαδιά ξερά, σκληρά σαν σύρμα και ελάχιστα φύλλα κακορίζικα στην κορυφή, συνήθως κιτρινισμένα φύλλα που εξαρχής γεννήθηκαν ήδη μαραμένα. Σπανιότατα εμφανίζεται ένα λουλούδι από μάτι που περιέργως δε ματαιώθηκε, αλλά και πάλι δείχνει μισοξεραμένο με το που θα μπουμπουκιάσει, τσαλακωμένο σαν από τσιγαρόχαρτο. Μα δεν έχει χυμούς πουθενά, λες, δεν έχει καμιά όρεξη; Ούτε για να ζήσει όρεξη, ούτε για να πεθάνει, και τα δυο τα βαριέται. Το έκανα το θέμα μου ανάρτηση στο facebook και πολλοί φίλοι μού έδιναν συμβουλές. Κάνε έτσι, κάνε αλλιώς σ' αυτό το φυτό. Όλα μα όλα τα έκανα, τίποτα δεν άλλαξε. Είχε από τη γέννα του πεισμώσει να μου σφυροκοπάει το νευρικό σύστημα.

Μυστήριο μέγα η ελεύθερη βούληση και των ιβίσκων! Και τι να πω για το άλλο, το απρόσκλητο που ανακάλυψα στη γωνιά της βεράντας, ανάμεσα στις πλάκες, χωρίς ούτε κόκκο εμφανές χώμα, να έχει φυτρώσει, όλο να αναπτύσσεται. Ένα άγνωστο δροσερό φυτό, ζωγραφιστό λες από Κινέζο μικρογράφο. Με ζωντανά φυλλαράκια υγρά και βαθυπράσινα, μίσχο κυματιστό σαν μπαλαρίνα, ποτισμένο και θρεμμένο μονάχα από τα απόνερα των άλλων και το φτωχό αυλάκι του κλιματιστικού.

Έτσι είναι και με τον άνθρωπο.

Καλές οι επιστήμες, οι στατιστικές, οι ψυχοθεραπείες, οι φυσικοί νόμοι που σπουδάζουμε, όμως ξεμυτίζει από παντού η έκπληξη και το θαύμα. Ο ίδιος εντέλει θα αποφασίσει αν θα σωθεί ή αν χαθεί· η ελευθερία της βούλησης, θέμα βαριά δύσκολο και δυσεξήγητο για την επιστήμη, κακοποιημένο και υποβαθμισμένο ενίοτε από πολιτικές και κοινωνιολογίες. Σώζεσαι ή χάνεσαι, κι εσύ αποφασίζεις και πραγματοποιείς. Σου δίνονται και για τις δυο επιλογές πλήθος ευκαιριών, πλήθος αφορμών και επιχειρημάτων. Σιγά που θα γνωρίσουμε ποτέ μας το μέγα μυστήριο της ζωής, της ελευθερίας της βούλησης! Συμβαίνει έτσι όμως και θέλει πίστη όχι εξήγηση, προκειμένου να το αποδεχθείς. Όπως και για όλες τις ύψιστες αλήθειες δηλαδή.

Για να θέλεις, πρέπει να είσαι κάποιος που μπορεί να θέλει. Το γράφει ο Νίτσε και πρόκειται για ζήτημα δύσκολο. Το «θέλω» προϋποθέτει προσωπικότητα σχετικά σχηματισμένη, σχετικά ώριμη. Γιατί το θέλω δεν είναι θεωρία, χρειάζεται από κοντά την ανάλογη πράξη του για να συνιστά θέλω, χρειάζεται την τίμια προσπάθεια έστω. Όλα όσα νιώθουμε, σκεφτόμαστε και δηλώνουμε έχουν υπόσταση μονάχα ως έμπρακτα και είναι σοβαρά. Τα σ' αγαπώ, τα επιθυμώ, τα αποφάσισα, τα ονειρεύομαι.

Βλέπω νέα παιδιά να τους είναι αδύνατο να καταλήξουν τι θέλουν να ακολουθήσουν και να κάνουν με το μέλλον τους κι ας έχει προχωρήσει η εφηβεία τους. Όμως ξέρω και νέα παιδιά που δεν ξέρουν τι να πρωτοκάνουν. Μπορούν να επιθυμούν πολλά, να δουλέψουν πολλά, και όπου κι αν τους ρίξει η ζωή πάλι θα τα καταφέρουν. Αλλού λίγο, αλλού περισσότερο, θα τα βγάλουν πέρα ακόμη και με επιτυχία. Με το σπρώξιμο, τους συναισθηματικούς γονεϊκούς εκβιασμούς, την πίεση και τα «γιατί έτσι πρέπει», δεν πάει κανείς μακριά. Χρειάζεται έμπνευση και έρωτας για να προκόψεις. Πόθος για το αντικείμενο. Όχι μόνο για να σε χειροκροτήσουν, να σε θαυμάσουν, να πλουτίσεις, να πάρεις αξιώματα και αναγνώριση. Προκόβεις άμα χαίρεσαι αυτό καθαυτό που δουλεύεις. Αυτό που θα διάλεγες να κάνεις ακόμη και χωρίς να πληρώνεσαι. Άμα ηδονικά χάνεσαι μέσα του. Για τον ενθουσιασμό, για το κέφι, το ενδιαφέρον του, για το στοίχημα με το μυαλό σου. Για το κάθε κουραστικό του βήμα το επιθυμείς, για τις μέρες της αμφιβολίας και τις μέρες της απογοήτευσης. Για τον αγώνα το θες, γιατί σ' αρέσει πάνω από όλα τ' άλλα να είσαι αγωνιστής. Γι' αυτά. Μαραίνει τον άνθρωπο και την εργασία του η προσκόλληση στην επιβράβευση.

Στους Ολυμπιακούς Αγώνες του Ρίο καθόμουν λίγο τα βράδια και παρατηρούσα στην τηλεόραση τις προσωπικότητες των νικητών μας. Είχαν λάμψη! Μια λάμψη που δεν ήταν επίπλαστη, δεν ήταν τούτης της τελευταίας δοξαστικής στιγμής, ερχόταν από τα πολύ παλιά τους, ήταν παιδικός τρόπος ζωής. Ναι, οι δικοί μας Ολυμπιονίκες υπήρξαν σχεδόν όλοι αβοήθητοι και παρατημένοι από κράτος, υπουργεία και κάθε θεσμό. Ό,τι κατάφεραν, και κατάφεραν το υπεράνθρωπο, έγινε από τη δική τους θυσία, θυσία από έρωτα. Όλοι τους είναι πλάσματα της μάχης, αλλά και περιστοιχίζονται από μια οικογένεια καλή, συγκροτημένη, που καταλαβαίνει τους ίδιους και συμπαραστέκεται στην άχαρη επί χρόνια προσπάθεια.

Αυτή είναι η χάρις! Αυτή είναι η πηγή του πηγαίου! Η αγάπη των αγαπημένων σου. Όλα τα άλλα, εντάξει, θετικές ή αρνητικές συνθήκες, βοήθειες έξωθεν, διευκολύνσεις και λεπτομέρειες. Θα το ξαναπώ: έχουμε δώσει υπερβολική αξία στις συνθήκες.

Επιτέλους μόνες!

Και η εγγονή μου είναι κιόλας είκοσι ημερών! Σε λίγη ώρα θα φύγω να πάω να την κρατήσω κάμποσες ώρες, να την κοιτώ με θάμβος και απορία που δεν τελειώνει. Θα τελειώσει ποτέ; Είναι δυνατόν ο Θεός να μου έστειλε τέτοιο δώρο; Τόσο καλό, τόσο σπουδαίο, τόσο υπέροχο; Τι έκανα που να το αξίζω; Προσεύχομαι να της αξίζω εγώ λιγάκι. Να της αξίζω και να μην της χαλάσω τη θεία προίκα της, τη θαυμαστή κατασκευή της, τον μηχανισμό της τον τέλειο και περισσότερο από όλα αυτό το αόριστο αίσθημα, την αόρατη αύρα τη μοναδικά δικιά της που την περιβάλλει και την κάνει να είναι η μοναδική εγγονούλα μου, η κορούλα της Αλέσιας και του Γιώργη! Μπορεί να μοιάζει αποσπασματικά στον έναν, στον άλλο, σε παλιότερους συγγενείς, κάποια στοιχεία σε παράλλους, γνωστούς και άγνωστους, μέσα από εκατοντάδες γενιές, όμως συνολικά είναι ανεπανάληπτη. Εντελώς άλλη και καινούργια. Δεν είναι μονάχα σύνθεση όλων των παραπάνω, είμαι σίγουρη πως είναι γεμάτη και από στοιχεία μοναδικά, ολοδικά της. Ούτε επαναλήφθηκαν, ούτε θα επαναληφθούν. Το βλέπεις στο βάθος βάθος μέσα στο βλέμμα της, εκεί όπου αρχίζει το καταδικό της βασίλειο. Με τίποτα και με κανένα δε μοιάζει το πλάσμα αυτό, και δίδυμο αδελφάκι να είχε, πάλι μόνη και μοναδική θα ήταν.

Στο τραπέζι, δίπλα στην τσάντα μου, έχω τυλίξει ένα εξαιρετικό βιβλίο του Γέροντα Θαδδαίου της Βιτόβνιτσα. Επιστρέφοντας το βράδυ θα το ρίξω στο κουτί του ταχυδρομείου κοντά στο σπίτι μου προς τον φίλο μου τον καλό Γιάννη Λάμπρο που ζει στην Κάρπαθο. Γυρεύει από πάντα του αλήθειες, όπως να ψάχνει φρούτα του δάσους μέσα από αγκαθωτούς, πυκνούς βάτους που τον κεντούν, γδέρνουν και ματώνουν το δέρμα του. Γράφει λοιπόν ο Γέροντας Θαδδαίος σε μια σελίδα αυτά τα λόγια:

Ο άνθρωπος είναι ένα μεγάλο μυστήριο. Μένουμε ενίοτε έκθαμβοι ενώπιον του μυστηρίου αυτού και αναρωτιόμαστε πώς είναι δυνατόν να λειτουργεί το σώμα μας χωρίς να το θέλουμε. Δεν υπάρχει ίδρυμα ή οργανισμός σ' ολόκληρο τον πλανήτη που να μπορεί να λειτουργήσει όσο τέλεια λειτουργεί το ανθρώπινο σώμα.

Ο Θεός είναι ένα μυστήριο για κάθε πλάσμα. Ο Θεός είναι μέσα μας κι αυτός είναι και ο λόγος που κι εμείς είμαστε μυστήριο για μας τους ίδιους. Ο Θεός αποκαλύπτει τον εαυτό του μόνο στους πράους και ταπεινούς. Είναι πανταχού παρών κι ωστόσο κι ο Ίδιος παραμένει ένα μυστήριο...

Κι εκείνη όμως δείχνει ευχαριστημένη που ήρθε κοντά μας. Θα έλεγα ότι από έμβρυο ήταν θετικό και ορεξάτο στο να υπάρξει. Ήσυχο, ευγενικό, υγιέστατο, εύκολο, δεν ταλαιπώρησε επί εννέα μήνες τη μαμάκα του, κανένα πρόβλημα. Γεννήθηκε καλοκαίρι, όταν έχουν άδεια οι γονείς της, λες και άκουγε και υπάκουε σε όποια χάρη τής ζητούσαν ώστε να τα βγάλουν πέρα καλύτερα. Και τώρα που αναπνέει μόνη της, χωρίς λώρο πια, δείχνει ικανοποιημένη. Τρώει πολύ, χωνεύει καλά το πλούσιο γάλα της μαμάς, κάνει εύκολα *γκρου* άμα τη σηκώνει απαλά ο πατέρας της στα ενδιάμεσα. Κοιμάται εύκολα σχετικά –μόνο που πρέπει να αποφασίσει πότε είναι νύχτα και πότε μέρα– και κουνάει χεράκια και πόδια με έναν τρόπο που μόνο οι πεταλούδες ξέρουν. Το έχουμε περίπου σιγουρέψει πως μια μέρα θα βρεθεί στα Μπολσόι, εκείνη βέβαια θα αποφασίσει, είμαστε ελεύθεροι στις αντιλήψεις σαν σόι, εντελώς ελεύθεροι, χωρίς καταπιέσεις και καλοκρυμμένες εξωθήσεις με συμβουλές, απλώς διαβλέπουμε τα μεγάλα ταλέντα της, δε γίνεται να παραβλέψεις το ολοφάνερο. Όχι, δε θα την επηρεάσουμε επ' ουδενί, με μέτρο τα αποτυχημένα όνειρά μας, το έχουμε μάθει καλά ότι απαγορεύεται η καταπίεση, η κάθε είδους πλύση εγκεφάλου, γι' αυτό ύπουλα, υπόγεια και σταθερά θα την κατευθύνουμε με τρόπο έμμεσο, να πάει εκεί όπου εμείς λαχταρούσαμε αλλά δεν πήγαμε, εγώ για παράδειγμα στο μπαλέτο… Το λέω περίπου για αστείο, το ξέρω πολύ καλά πως είναι έγκλημα να χρησιμοποιήσω το παιδάκι σαν αποζημίωση για τις δικές μου αποτυχίες. Το ξέρω! Εντάξει! Όλοι το ξέρουμε, όπως όλα τα θεωρητικά τα ξέρουμε μια χαρά. Άλλο –λέμε και ξαναλέμε- το λογικό και άλλο το ψυχολογικό όμως. Στις κρίσεις, στις κατακρίσεις και στις συμβουλές είμαστε όλοι πρώτοι. Είναι ανάγκη να το θυμάμαι και στην πράξη εκείνο που ξέρω. Στην πράξη όμως εισβάλλουν φωτεινές και σκοτεινές δυνάμεις του ασυνειδήτου, του εγωισμού, του εγωκεντρισμού, των απωθημένων, οι προφάσεις που βρίσκουν λαγούμι να επιβληθούν είναι επιστημονικά και προαιώνια επεξεργασμένες.

Πάντως η εγγονή μου με κάνει κιόλας περήφανη!

Όταν της βάζουν πάνα να της τυλίξουν για λίγο τα πόδια, εκείνη ήρεμα και συστηματικά, σιγά σιγά και πονηρούτσικα, καταφέρνει να τη σπρώξει και να την κάνει πέρα. Να τη στείλει στην κάτω γωνιά του κρεβατιού. Πολύ μ' αρέσει που ήδη θέλει και διεκδικεί την ελευθερία της!

Φτάνω απόγευμα στο σπίτι τους, που κάποτε επί χρόνια υπήρξε σπίτι μου. Έχω πλύνει ακόμη και τα παπούτσια μου, γιατί όταν τα βρέφη είναι ημερών νομίζεις πως είναι έτοιμα να μολυνθούν από τα πάντα. Σύντομα θα ανακαλύψεις πως είναι δυνατά και ευλύγιστα σαν γατιά. Χρειάζονται τον χρόνο τους όμως οι φόβοι μας. Είναι η πρώτη μέρα που θα την αναλάβω για λίγες ώρες μόνη μου, η Νατάσα, η αδελφή της Αλέσιας, που τη βοηθούσε με τη μεγάλη πείρα της, έφυγε πίσω στα δικά της παιδιά χθες. Χωρίς τρίτο πρόσωπο κοντά τους, τα παιδιά μου βρίσκονται περίπου σε πανικό. Θα μπορούσα να βρίσκομαι διαρκώς εκεί και να στηρίζω με όσα ως παλιότερη μητέρα έμαθα, όμως είναι προτιμότερο να τον περάσουν και μόνοι τον ζόρικο πρώτο καιρό, τον φόβο· το ίδιο το σοφό μωράκι θα τους διδάξει, γιατί τα μωρά, σε ήρεμο περιβάλλον, είναι σοφά. Θέλουν πρωτίστως ηρεμία και γάλα. Εγώ θα πηγαίνω, είπα, τα απογεύματα. Και όχι, δε θα καθόμαστε γύρω γύρω όλοι από την κούνια ή τη μικρή τηλεοθόνη όπου σκυμμένοι παρακολουθούμε από το άλλο δωμάτιο τι κάνει στον ύπνο του, αν ρουθουνίζει, αν φταρνίστηκε, ή γιατί κουνάει το χεράκι σαν να πεινά. Πεινά; Μήπως λερώθηκε; Μήπως τρομάζει το ίδιο από τις κινήσεις των χεριών του; Ζεσταίνεται; Κρυώνει; Αισθάνεται μοναξιά; Προσαρμόστηκε να ζει έξω από το σπλαχνικό σώμα της μαμάς της; Θα τρελαθούμε έτσι, και τρελοί γονείς εκτρέφουν τρελά παιδιά, είναι ο κόσμος γεμάτος θύματα αυτής της εξίσωσης.

Επιμένω πως οι γονείς της, κάποιες από τις ώρες που θα πηγαίνω εγώ, θα βγαίνουν για περίπατο, για παγωτό, για καφέ, για δουλειές, για ψώνια, ό,τι τους κάνει όρεξη. Κάπου εδώ τριγύρω ώστε να νιώθουν ασφαλέστερα κοντά μας. Το Μαράκι κι εγώ θα τους προστατεύουμε. Με μισή καρδιά το δέχονται γεμάτοι δισταγμούς. Όλο μου εξηγούν και μου ξαναεξηγούν τι να κάνω αν πεινάσει. Πώς να την καθαρίσω και πώς να κολλήσω την πάνα αν λερωθεί, πόσο σφιχτά, πόσο απαλά, πώς ακριβώς θα βάλω κρέμα στον ποπό της. Πώς θα την ξαπλώσω στο πλάι στο κρεβάτι της, πώς θα ακουμπήσω στην πλάτη της το μακρόστενο μαξιλάρι, πού είναι το πανάκι αν φτύσει γάλα. Πώς θα ζεστάνω το μπιμπερό. Πόσο θα το δροσίσω ώστε να καταλήξει χλιαρό. Μου τα λένε και μου τα ξαναλένε, κοντεύω να τρακαριστώ άσχημα, να νιώθω αδέξια και για το πιο εύκολο που κάθε ενήλικος ξέρει. Μου εξηγούν πάλι και πάλι τις λεπτομέρειες, τις πιο απίθανες πιθανότητες, ίσως για να καθυστερούν να απομακρυνθούν από κοντά της. Μου κάνουν και τεστ, επανάληψη, κάνω πρόβες, και ευτυχώς βρίσκουν ότι τα πάω καλούτσικα. Μπορούν κάπως, κάπως, να τολμήσουν να με εμπιστευτούν.

«Μα, γιε μου, σε μεγάλωσα καλά και σχεδόν μόνη μου...»

«Έχουν περάσει αιώνες από τότε», απαντά. «Τα ξέχασες!»

Επιτέλους και δόξα τω Θεώ φεύγουν! Η μεγάλη έξοδος!

Τους πονάω, κατανοώ την αγωνία τους για ό,τι πιο πολύτιμο απ' τη μια στιγμή στην άλλη βρέθηκε παραδομένο στα άπειρα χέρια τους, χέρια αιώνιων μαθητών και των δύο, όμως πρέπει κάποιος να τους σπρώξει να κάνουν την αναγκαία βουτιά στη φυσιολογική ζωή ξανά. Να βγουν έξω από την εξώπορτα και να πάρουν αέρα, να ισιώσουν, να δουν πως υπάρχουν στον κόσμο και άλλα μωρά που επέζησαν, πως η γη κινείται, γυρίζει το ίδιο όπως είκοσι μία μέρες πριν, πως κυκλοφορούν γονείς που δεν τρελάθηκαν, να θυμηθούν τις χαρές του καφέ, του παγωτού που σου σερβίρουν στολισμένο, πλησιάζει στο τέρμα του ο μοιραίος Αύγουστος και το τέλος του καλοκαιριού είναι πάντα μαγικό, όσο κι αν μας έχει αποκάμει από τις ζέστες.

Θυμάμαι την πρώτη φορά που άφησα τον γιο μου μωρό να τον κρατήσει η μητέρα μου, και να πάμε κάπου κοντά με τον μπαμπά του για έναν καφέ. Μου ήταν αδύνατο να ησυχάσω. Φανταζόμουν φριχτές εικόνες όπου το μωρό μου πνίγεται από το χαμομήλι που ίσως του δώσει η μητέρα μου με το μπιμπερό, φανταζόμουν πως πνίγεται και η γιαγιά του τα χάνει, της πέφτει από τα χέρια κάτω... Τις νύχτες εξάλλου ονειρευόμουν ότι, όπως το πλένω στον νιπτήρα, εκείνο γίνεται τόσο μικρό, τόσο μικρό, όλο και μικρότερο, ώστε το νερό της βρύσης το παρασέρνει, το ρουφάει και χάνεται στη μαύρη τρύπα. Αν πάει η μαμά μου να το πλύνει; Είναι κι εκείνη γεμάτη άγχος. Με κόπο κρατιόμουν να μην παρατήσω τον καφέ και να τρέξω πίσω στο σπίτι. Γύρισα και είπα στον πατέρα του: «Νομίζω πως ποτέ πια όσο ζω δε θα είμαι ανέμελη...»

Ήταν αλήθεια!

·

Κρατώ τη Μάσενκα αγκαλιά, η σκυλίτσα η Τζούλι κυρία, από πίσω μας, συνεχώς διώχνω τους γονείς της και τους λέω: «Στο καλό, στο καλό! Πάνω στη μισή ώρα θα σας στείλω μήνυμα». Είναι παιδιά λογικά, ακόμη είναι λογικά, το καταλαβαίνουν, η καρδιά όμως είναι παράλογη, και με το παιδί σου η καρδιά παραμεγαλώνει, χάνει τα μέτρα και τα σταθμά.

Δόξα τω Θεώ, βγήκαν επιτέλους έξω από το διαμέρισμα, έφυγαν. Κλείδωσαν την πόρτα, γύρισαν τα κλειδιά ασφαλείας δυο τρεις φορές, δοκίμασαν αν μας φυλάκισαν καλά και απόρθητα, και με κατακλείδωσαν μέσα χωρίς να μου πουν πού έχουν άλλα κλειδιά να χρησιμοποιήσω στην ανάγκη. Σε περίπτωση σεισμού για παράδειγμα, πώς θα βγούμε; Αυτό μόνο σκέφτηκα και πως ευτυχώς δεν είμαι κλειστοφοβική. Σύντομα το έχω ξεχάσει. Το αστείο είναι πως σε λίγο έγινε όντως σεισμός κάπου κοντά, αισθητός λέει στην Αθήνα, αλλά δεν τον κατάλαβα, το διάβασα στο διαδίκτυο αργότερα, όταν γύρισα και ξάπλωσα στο δικό μου κρεβάτι στο σπίτι μου, και άνοιξα τον υπολογιστή να δω ειδήσεις. Με το να κουνάω πέρα δώθε το κοριτσάκι μας πώς να νιώσω σεισμό; Κρατούσα τον ίδιο τον σεισμό στην αγκαλιά μου.

Κάθισα στον καναπέ του καθιστικού με την τοσοδούλα πάντα αγκαλιά, να με κοιτά με τα ματάκια της, ακόμη γαλανά, πολύ γαλανά και θαλασσένια, με τα χεράκια της να πεταρίζουν και το ωραίο της φόρεμα με τις κόκκινες τιράντες και τη Μίνι Μάους στάμπα προς την κοιλιά. Έβγαλα αναστεναγμό ανακούφισης μεγάλο κι εκείνη τίναξε και τα δυο μαζί ποδαράκια με κέφι. «Επιτέλους μόνες!» της κάνω.

Είναι η πρώτη μας φορά που μένουμε εντελώς μόνες στις είκοσι μέρες του βίου της και επιτέλους μπορούμε να χαλάσουμε τον κόσμο χωρίς θεατές. Δεν τον χαλάμε, το αναβάλλουμε για ωριμότερες ηλικίες, μονάχα τη χαζεύω και τη χαϊδεύω μήπως και τη χορτάσω λίγο. Με χαζεύει κι αυτή. Της λέω διάφορα, με παρακολουθεί προσπαθώντας να καταλάβει, είμαι βέβαιη πως καταλαβαίνει αρκετά, πως θέλει πολύ να καταλάβει, της φαίνεται, σίγουρα το πνεύμα που της μιλάω το πιάνει. Να τη χορτάσω λίγο, για τα μωρά μιλάμε σαν να είναι προφιτερόλ. Την κοιτώ και την κοιτώ τώρα που μόνη κι απερίσπαστη είναι μόνο δικιά μου, είμαι μόνο δικιά της. Να μη φιλώ τις φωτογραφίες κάθε τόσο στο σπίτι μου αλλά την ίδια, όχι στα μαγουλάκια αλλά στο μπρατσάκι και στο χνούδι του, στο πατουσάκι, στο κεφαλάκι που μοσχοβολά. Και ύστερα μου έρχονται όσα νανουρίσματα έλεγα, παράφωνα έστω, στον Γιώργη όταν ζούσαμε τότε στη Ρόδο και ήταν στην ηλικία της. Το *Νάνι νάνι το μωρό μου, κι αγγελούδια στ' όνειρό του*, το *Νάνι του Ρήγα το παιδί*, το *Γύρνα, φτερωτή του μύλου*. Με τα νανουρίσματα αυτόματα σχεδόν κοιμάται στο πάτωμα η Τζούλι και μάλιστα ροχαλίζει. Το μωράκι μου αργεί περισσότερο, της αρέσει η διαδικασία, πρώτα με κοιτάει με περιέργεια, σαν εγκεφαλικός τύπος που ζητά να εξηγήσει πάνω κάτω το τι συμβαίνει, με εξετάζει, σκάει μετά δυο λοξά χαμογελάκια, σκάει ένα λακκάκι στο δεξί μάγουλο, πάλι απορεί και στρογγυλεύουν τα μάτια, αλλά τα βλέφαρα την προδίδουν και όλο της πέφτουν προς τα κάτω βαριά. Αντιστέκεται, θέλει να με εξετάσει κι άλλο, να χαρεί ακόμη τα νανουρίσματα, να ζήσει συνειδητά και ξύπνια για περισσότερο, αλλά με το ελαφρύ κούνημα, την αγκαλιά, το χορτάτο στομάχι, την καθαρή πάνα, το νανούρισμα που την παραξενεύει ευχάριστα ελπίζω, της υποχωρεί ο λόξιγκας και βυθίζεται στο ασυνείδητο του ύπνου της, θέλει δε θέλει.

Πρέπει να μάθει να μένει και στο κρεβάτι μόνη. Να ασκεί σιγά σιγά την αυτονομία της, να μην εθιστεί εξαρτημένη από άλλο σώμα επί εικοσιτετραώρου βάσεως. Θα το πληρώσει το τελευταίο ακριβά αργότερα. Θα γεράσουν και οι γονείς πριν την ώρα τους. Το φάντασμα του δόκτορος Σποκ δεν απομακρύνεται εύκολα από τα δικά μου πρέπει. Σφηνώνουν σαν βίδες στο είναι μας οι παλιοί φόβοι. Όμως θέλει και τις αγκαλιές της. Κάποια κοινωνικότητα. Διάφορες και νέες παραστάσεις. Την επαφή κοντά σε μια άλλη καρδιά που χτυπά, τον ξέρει από την πρώτη στιγμή της ύπαρξής της τον παλμό της καρδιάς, τη βεβαιότητα της στοργής, την άλλη θέρμη, του άλλου τη θέρμη, τα μάτια του άλλου που γελαστά την κοιτάνε. Η σχέση πάντα! Η σχέση που είναι εξίσου αναγκαία όσο και το γάλα. Τα μωράκια είναι κοινωνικά.

Στη Σοβιετική Ένωση, τότε που λεγόταν έτσι, έγιναν έρευνες σε ορφανοτροφεία πάνω στα νεογνά και τα βρέφη. Όλα και με επιστημονική γνώση τα καθάριζαν, τα άλλαζαν, τα τάιζαν, τα εμβολίαζαν, τα φρόντιζαν σωματικά με κάθε προσοχή. Όμως εκείνα τα βρέφη που, μετά την καθαριότητα και το φαγητό, αγκάλιαζαν και χάιδευαν, τα κουνούσαν γλυκά και τους μιλούσαν, αναπτύσσονταν με εντυπωσιακή διαφορά. Όσα τα άφηναν χωρίς αγκαλιά και χάδι μετά το μπάνιο και το φαΐ αμέσως στην κούνια, υστερούσαν εμφανώς στην εξέλιξη. Λίγα, τα πιο ασθενικά, πέθαιναν.

Το δικό μας δεν πρόκειται να πεθάνει από τέτοια στέρηση, από αγκαλιές και χάδια που δεν της δίνονται, το θέμα όμως είναι να μη μας πεθάνει κι εμάς. Από πολύ μικρούλι πρέπει να μάθει στο μέτρο που σώζει ζωές. *Μέτρον άριστον, και μόνο στην αγάπη δεν ταιριάζει*, έγραφε στα ποιήματά του ο Παντελής ο Ευθυμίου. Μέτρον άριστον όμως ζητούν οι τρόποι της αγάπης, όσο μεγάλη κι αν είναι η ποσότητά της, ιδίως τότε.

Γι' αυτό κι εγώ, αφού κοιμηθεί βαθιά, θα την ακουμπήσω πιο μακριά μου, στη φαρδιά κούνια που κουνιέται ανάλαφρα. Την ακουμπώ όσο πιο απαλά γίνεται μη μου ξυπνήσει.

Αλλιώς «τι κάνεις;» κι αλλιώς «τι μου κάνεις;» γράφουν στις σελίδες του facebook και με συγκινεί. Μη μου ξυπνήσει. Μη μου κλάψει. Μη μου λυπηθεί. Μη μου τρομάξει. Μη μου πεινάσει. Μη μου αρρωστήσει. Μη μου παραπονεθεί. Μη μου πονέσει. Μη μου πονέσει. Μη μου πονέσει… Μέχρι πόσων χρόνων θα τολμάμε να τους το λέμε έτσι και να μη μας αποπαίρνουν;

Τεντώνεται, καταλαβαίνει τη διαφορά της κατάστασης, χάνει αγκαλίτσες, λόγια και χάδια, αλλά κερδίζει άπλα και ανεξαρτησία και δροσιά, καλά είναι κι αυτά, και συνεχίζει πάλι να κοιμάται. Συνεχίζει να κοιμάται και η Τζούλι στο πάτωμα, κάτω απ' το τραπέζι, με γουργουρητά και ρουθουνίσματα στον ύπνο της. Σε λίγο παρόμοια γουργουρίσματα βγάζει και το Μαράκι. Ο μπαμπάς της, από τον καιρό που ήταν έμβρυο, ονειρεύεται να τη μορφώσει σωστά και να της μάθει τις γλώσσες που αγαπάει ο ίδιος. Αρχαία ελληνικά, λατινικά και συριακά. Προς το παρόν την ακούω πόσο εύκολα μαθαίνει τους ήχους του σκύλου. Θα συνεννοούνται τέλεια σε λίγο καιρό. Σε κάποια σημεία της συγχορδίας δεν ξεχωρίζεις ποια από τις δυο τους, η Μάσενκα ή η Τζούλι, είναι που βγάζει έναν ήχο της ικανοποίησης. Μιμούνται τέλεια η μία την άλλη.

Τα παιδιά είναι η φύση τους, τα δικά τους χαρίσματα, τα δικά τους ελαττώματα, είναι όμως και οι συνήθειές μας που τους μεταγγίζουμε σαν με ορό στο αίμα. Όσο νωρίτερα, τόσο βαθύτερα φυτεύουν στις αντιδράσεις τους τις δικές μας συμπεριφορές που συστηματικά εισπράττουν. Μοιάζουν ακόμη και οπτικά στους γονείς, διότι με τον καιρό αντιγράφουν και υιοθετούν εκφράσεις και το ύφος τους, τις χειρονομίες, τη φωνή, τους τόνους. Γνωρίζουμε πόσο μια όμοια έκφραση βοηθάει να μοιάζουν δυο πρόσωπα. Λέγεται πως αρκετά υιοθετημένα παιδιά με τα χρόνια μοιάζουν κι αυτά στους θετούς γονείς τους. Σ' αυτό εξάλλου το στοιχείο, του ύφους, της χειρονομίας, της κίνησης, στηρίζουν τη δουλειά τους οι μεγάλοι μίμοι των θεάτρων.

Η μαμά μου μου έλεγε ότι όταν ήμουν μωρό και άυπνο, όπως τώρα και πάντα είμαι, αναγκάστηκαν να με χορεύουν τανγκό για να κλείσουν επιτέλους κάποια στιγμή τα μάτια μου και να αποκοιμηθώ. *Το τανγκόοοοο το ωραιότερο του κόσμουουουου, είναι αυτό που χορέψαμε μαζίιιι...* Αν όμως τους ξέφευγε ο σκοπός και άρχιζαν να τραγουδούν και να με χορεύουν βαλς, άνοιγα αυτόματα τα μάτια και ξυπνούσα δυσαρεστημένη. Πάντα εμμονική με τις καλλιτεχνικές λεπτομέρειες, αποδείκνυα πόσο και οι ελάχιστες αλλαγές είναι αισθητές στα μωρά. Πόση αντίληψη και συνήθεια κιόλας έχουν αποκτήσει.

Η μικρή μας από τους τέσσερις πέντε μήνες της καταλαβαίνει ότι έφτασε μήνυμα στο κινητό, όσο κι αν το έχω μακριά και με χαμηλωμένο τον ήχο. Γυρνά περίεργη και προσέχει ως το τέλος τον ήχο του ασανσέρ που ανεβαίνει απ' έξω ή κατεβαίνει. Έβαλαν να παίζει μια μελωδία που άκουγαν όταν η Αλέσια ήταν έγκυος και αναστατώθηκε σαν να ξανασυναντούσε κάτι πολύ οικείο. Κάνουν μεγάλο σφάλμα οι μεγάλοι του σπιτιού που συζητούν μπροστά στα παιδιά τους διάφορα ακατάλληλα θέματα, θεωρώντας ότι δεν καταλαβαίνουν. Καταλαβαίνουν και μάλιστα περισσότερα απ' αυτά που λέγονται, πιάνουν το αίσθημα και το πνεύμα της κουβέντας. Καταλαβαίνουν καλά το είδος και την ποιότητα της σχέσης των δύο γονιών τους, κι αυτό είναι βαθιά ευαίσθητο σαν θέμα. Χρειάζεται ολόκληρο κεφάλαιο, ολόκληρο βιβλίο ή και βιβλία, να μιλήσουμε για τη σημασία του.

Μπορεί ο Χριστός να δίδαξε το *Αγάπα τον πλησίον σου ως εαυτόν*, αλλά ετούτη η αγάπη προς τον εαυτό στάθηκε για την ανθρωπότητα μια διαρκής περιπέτεια χαώδης. Πολεμική περιπέτεια θα έλεγα. Το *αγάπα* του Ιησού Χριστού φαίνεται απλό σε σχέση με το δεύτερο που μας πρόσθεσε, εκείνο το *ως εαυτόν*. Γεμάτη ερωτήματα, σύγχυση και ανοησίες η απάντηση που δίνουμε στο «πότε όντως αγαπάμε τον εαυτό μας», δύσκολα επιτυγχάνεται. Ή έστω δύσκολα το συνειδητοποιούμε αν έχει ή όχι επιτευχθεί. Διότι το «αγαπώ τον εαυτό μου» καμιά σχέση δεν έχει με τον εγωισμό, τον ναρκισσισμό, τον εγωκεντρισμό που συνήθως εμείς βιώνουμε, και μάλιστα με αυξανόμενους ρυθμούς όσο μεγαλώνουμε.

Όχι, δεν ξέρουμε αν και πώς αγαπάμε τον εαυτό μας, συχνά νομίζουμε θεωρώντας πως αυτό που νομίζουμε είναι η σωστή γνώση. Πόσες φορές δε λέμε άμα χάσουμε κάποιον: *Πολύ τον αγαπούσα και δεν το ήξερα*... Ή για άλλους, πάλι, που μια μέρα χάνουμε λέμε: *Τελικά δε μου ήταν όσο αγα-*

πητός θεωρούσα, θα έλεγα μάλιστα πως σαν να με απελευθέρωσε το φευγιό του. Να τολμάμε να το πούμε κι αυτό. Να τολμάμε να αντικρίζουμε αυτό που αισθανόμαστε όσο αποτρόπαιο κι αν μας φαίνεται. Μονάχα άμα το παραδεχτούμε, μονάχα άμα το μάθουμε και πια το γνωρίζουμε μπορούμε να δουλέψουμε με την ψυχή μας. Ειδάλλως κλωσάμε εντός μας κάποια θέματα σαν αυγό του φιδιού. Δεν είμαστε υπεύθυνοι για τα συναισθήματά μας, είμαστε μόνο υπεύθυνοι για το τι τα κάνουμε αφού τα δούμε.

Είναι δυστυχώς μερικά πράγματα, και μάλιστα εξαιρετικά σπουδαία πράγματα, που μονάχα εκ των υστέρων τα κατανοείς, μονάχα τότε μπαίνουν στη σωστή θέση τους. Ιδίως πρόσωπα θα έλεγα. Πρόσωπα που είναι η αιτία και ο στόχος για τον οποίο ζούμε. Η σχέση και μόνο η σχέση μάς κάνει υπαρκτούς, η σχέση με τους άλλους, με έναν άλλο έστω, με τον Θεό για εκείνους που φεύγουν από τον κόσμο και ασκητεύουν. Ποιος άγιος γράφει ότι *είναι πιο εύκολο να θυσιαστείς για κάποιον παρά να συγκατοικείς μαζί του;* Και ο Ευαγγελιστής Ματθαίος δηλώνει το σοκαριστικό για τις μεσοαστικές μας αξίες: *Εχθροί του ανθρώπου οι οικιακοί αυτού.*

Εκ των υστέρων λοιπόν, έπειτα από απόσταση, έπειτα από απώλεια, απελευθερώνεται ο νους μας να παραδεχθούμε διάφορα, σοβαρά συνήθως, συναισθήματά μας. Να αποδεχθούμε το τι νιώσαμε και νιώθουμε όντως για κάποια άτομα-ταμπού. Συμβαίνει να τα αγαπήσουμε, να τα κατανοήσουμε, αφού όμως δούμε και αποδεχθούμε πως κάποτε αντιπαθήσαμε, ακόμη και τα μισήσαμε, πως μας ήταν ανυπόφορα κάποτε. Ο δρόμος της αλήθειας είναι ο μόνος για τη γιατρειά, ο μόνος για την αγάπη. Ελευθερία δίχως γνώση της αλήθειας δεν μπορεί να κερδηθεί, οι φαντασίες, οι πλάνες, οι παραποιήσεις είναι μονάχα κάτεργο. Θα το ξαναπούμε το πασίγνωστο: Μονάχα οι ελεύθεροι είναι σε θέση να αγαπούν.

Εκ των υστέρων, λοιπόν, βλέπουμε καθαρότερα κάποια σοβαρά θέματα της ύπαρξής μας, της βιογραφίας μας. Είναι άραγε αργά τότε; Στον καιρό του εκ των υστέρων είναι αργά; Δεν ξέρω. Εξαρτάται. Πότε ναι, είναι, πότε δεν είναι αργά.

Στον θάνατο άραγε είναι αργά;

Για μένα ο θάνατος δεν είναι τέρμα, ούτε οι σχέσεις μας με τους δικούς μας που έφυγαν τελειώνουν εκεί, όμως κανέναν δε θέλω να πείσω με τα πιστεύω μου. Και να ήθελα, δηλαδή, ποιος πείθεται;

Να το χάσεις που να καταλάβεις τι σου ήταν! Δηλαδή και τον εαυτό μας μετά θάνατον θα τον καταλάβουμε; Αν τον αγαπήσαμε ή όχι;

Φιλοσοφία, θεολογία, ανθρωπολογία, ψυχολογία, σχολές, θεωρίες, επιστήμες και έρευνες κατάφεραν να μας μπερδεύουν με πλήθος αντιφατικές και «τεκμηριωμένες» απόψεις. Πού αρχίζει η αγάπη του εαυτού, πότε ο εγωισμός; Μπορεί αυτό που λέμε αγάπη να είναι φόβος, ή πρέπει, ή εμμονή, ή εξάρτηση, ή τυφλή ενστικτώδης ανάγκη; Ποιος ξέρει; Το να μισήσω την ψυχή μου, όπως πάλι προτείνει ο Χριστός, τι σημαίνει; Ένας ασκητής αγαπάει τον εαυτό του που ανυπόφορα για μας κακοποιεί; Ένας, πάλι, εγωπαθής αγαπάει στ' αλήθεια τον εαυτό του; Η ψυχολογία κατά κανόνα ζητάει να υπερασπιζόμαστε τα δικαιώματά μας με σθένος και αυτοπεποίθηση, η θυσία όμως από αγάπη πώς γίνεται; Πού κατατάσσεται; Σε υγεία ή σε αρρώστια; Υποχωρώ ασυζητητί μέσα στις αγαπητικές σχέσεις μου ή προχωρώ ακάθεκτος προς αυτό που θεωρώ λογικό; Στην ταινία του Λαρς φον Τρίερ, *Δαμάζοντας τα κύματα*, η άνευ ορίων λατρεία της αλαφροΐσκιωτης γυναίκας προκειμένου να θαυματουργήσει και να σώσει τον άρρωστο άντρα της καταλήγει σε αμαρτίες και άμετρο εξευτελισμό.

Δύσκολο το σ' αγαπώ, δυσκολότερο το αγαπώ τον εαυτό μου. Εύκολα το λέμε, δεν ξέρουμε αν και πότε στ' αλήθεια το βιώνουμε. Ίσως γι' αυτό είμαστε έτσι φλύαροι, υπερβολικά φλύαροι και υπερβολικοί στα περί αγάπης. Ρίξτε μια ματιά στο facebook, πόσα και τι γράφονται! Τόση ακατάσχετη φλυαρία και στόμφος πιστεύω ότι γράφονται από ενοχές που αμφιβάλλουμε αν τα αισθανόμαστε όντως. Από τρόμο μην καταλάβουν τον θυμό ακόμη και το μίσος μέσα μας. Μια κάλυψη, μια ωραία σαν βενετσιάνικη μάσκα. Πρέπει όλα να τα σκεπάζουμε με λουλούδια περί αγάπης, όπως το πτώμα ενός νεκρού. Δείτε πραγματικά τι γίνεται στα μέσα κοινωνικής δικτύωσης. Τριαντάφυλλα, καρδούλες, γατάκια, σκυλάκια, στιχάκια, αγάπες και αγαπούλες, ρομαντικοί ποιητές ξεχασμένοι που ξεθάφτηκαν, λόγια λόγια, λόγια σαν μεροκάματο. Η μεγάλη αγάπη όμως κι ο μεγάλος πόνος ζούνε περίπου βουβά. Βαριούνται τις υπερβολικές εκδηλώσεις, τις βροντερές δηλώσεις, τις κορόνες, γιατί γνωρίζουν ότι δεν εκφράζονται.

Τέλος πάντων, δεν ξέρω αν καταφέρουμε να βγάλουμε στη γη ετούτη ποτέ μας σωστό συμπέρασμα για κάτι τέτοια, όμως εγώ το μωράκι που κρατώ όσο γίνεται μαλακά, σαν εύθραυστο πούπουλο που με το παραμικρό αεράκι μπορεί να μου φύγει, στ' αλήθεια το αγαπάω. Δε μ' αφήνει να μην το αγαπώ από την πρώτη στιγμή που είχα μια αίσθηση από τη μεριά του. Πριν από εκείνη την πρώτη πρώτη αίσθηση, ως ιδέα, ένα εγγονάκι ήταν μια συγκινητική ιδέα μόνο, γλυκιά, θεωρητική κι απόμακρη, θολή, καθόλου συνταρακτική, κάπου σταματούσε στο μυαλό μου και στην περιφέρεια της καρδιάς η σύλληψή της. Δεν τη χωρούσα μέσα μου. Κάτι καλό και απρόσιτο που δε σε αγγίζει όσο φανταζόσουν πριν ή διηγούνται οι φλύαροι ρομαντικοί, εκείνοι που πρόχειρα δηλώνουν: *Το αγαπούσα πριν γεννηθεί. Το λάτρευα πριν ακόμη παντρευτώ με τον μπαμπά του. Το ονειρευόμουν από μικρή*... Δεν τα πολυπιστεύω εγώ κάτι τέτοια. Ή δε συμβαίνουν ή εγώ είμαι αργή και δύσκολη. Όμως και η Αλέσια μου το λέει πως δεν μπορούσε να το αγαπήσει κυριολεκτικά όταν το είχε νωρίς στην κοιλιά, το αισθανόταν σαν άγνωστο πλασματάκι που κινείται, μεγαλώνει άφαντο, διαβάζει τι είναι στα διάφορα βιβλία για την εγκυμοσύνη, και ξέρει ότι έχει την ευθύνη του. Δεν αγαπιέται ο άγνωστος. Το πολύ πολύ να αγαπάς μονάχα την αναμονή σου.

Χρειάζεται κάτι να ανταλλάξεις με τις αισθήσεις σου, ναι με τις αισθήσεις σου, προκειμένου να αρχίσει μια αγάπη. Το έπαθα όταν η Αλέσια έπιασε το χέρι μου και το ακούμπησε στη φουσκωμένη κοιλιά της κάπου στον πέμπτο προς έκτο μήνα της. Στο σημείο όπου κάτι φτερούγιζε. Για μια στιγμή φτερούγισε, λίγο περισσότερο από το ανεπαίσθητο, και πάλι το χάσαμε, σιώπησε. Εκείνη τη στιγμή νομίζω πρωταγάπησα πραγματικά την εγγονή μου. Πάνω στην παλάμη μου σαν φτερούγισμα μικρού μικρού πουλιού, πεταλούδας μάλλον, ορίστηκε το πρώτο μας ραντεβού, η συνάντηση της αγάπης. Υπάρχει! Υπάρχει και κάνει κάτι από μόνο του! Από τη μεριά του, από τη θέλησή του… Φανερώνει έναν χαρακτήρα. Κλοτσάει μαλακά ή φτερουγίζει!… Και υπάρχει εκεί στο σώμα μέσα της μαμάς της, τόσο τρυφερά, μα τόσο απροσδόκητα τρυφερά, όπως ιδιαίτερα τρυφερή αποδείχθηκε τώρα που γεννήθηκε, που τη ζούμε, την αγκαλιάζουμε και μας αγκαλιάζει, που φανερώνει όντως τον χαρακτήρα της. Καλά λένε πως ο χαρακτήρας του ανθρώπου μελοποιεί τα πάντα του, την κίνησή του, τον τόνο φωνής, τον τρόπο που ρίχνει λοξά ένα βλέμμα, τις χειρονομίες του και τις γκριμάτσες. Έχω μια φωτογραφία που τράβηξε η Νατάσα την πέμπτη μέρα μετά τη γέννησή της. Την κρατώ πάνω μου κι εκείνη με κλειστά ματάκια έχει απλώσει το χεράκι της και με αγκαλιάζει σαν να με αγαπά και να με προστατεύει. Σαν να με νοιάζεται. Δεν παίρνει, δίνει. Όχι, δεν αγκαλιάζεται από μένα, αλλά με αγκαλιάζει, κι αυτό είναι από τα πιο συγκινητικά, από τα πιο συνταρακτικά που έχω δει σε ανθρώπινο χεράκι. Και όχι, δεν είναι της υπερβολικής φαντασίας μου.

Και το εγγονάκι μου ήταν ολοφάνερα τρυφερό και απαλό, διακριτικό θα έλεγα, από το πρώτο εκείνο φτερούγισμά της στην κοιλιά και πάνω στη διστακτική μου παλάμη. Την αναγνωρίζω την αύρα της και στο βρέφος που κρατώ σήμερα αγκαλιά, εκείνη εκεί την πρώτη πεταλουδίσια κίνηση. Υπάρχει λοιπόν!

Υπάρχει και μου απευθύνεται! Μου στέλνει μήνυμα και της στέλνω μήνυμα με χάδι. Η σχέση θέλει ανταλλαγή, αμοιβαιότητα, συμφωνία, ειδάλλως πρόκειται για μια ναρκισσιστική φαντασίωση που πουθενά δεν πάει. Καταντάς ενοχλητικός και για τον αγαπώμενο. Γραφικός και για τους φίλους. Κάνεις μονάχα κύκλους εγωκεντρικούς και βουλιάζεις στο ψέμα, σε ρουφάει σαν δίνη το ανύπαρκτο. Είναι είδος ανυπαρξίας κι αυτό.

Απόψε που συμπληρώνω, αφαιρώ, διορθώνω, συνλουπώνω πριν το παραδώσω στον εκδότη μου τούτο το βιβλίο της εγγονής μου, βιβλίο που το βασικό του μέρος έγραψα σαν από καρδιακή φωτιά τον περασμένο Αύγουστο της άφιξής της, ανατέλλει στον αττικό ουρανό ανοιξιάτικη πανσέληνος.

Πάντα η πανσέληνος μου φέρνει στον νου τραγούδια σπαραχτικά, λες και η ουράνια νυχτερινή βουβαμάρα της είναι φορτισμένη με κάποιο ανείπωτο τραγούδι. Αχ φεγγάρι, ασημένιο και στρογγυλό σεντούκι τραγουδιών που κυλάει ανεπαισθήτως, μπάλα στο σκούρο λιβάδι του θόλου. Τις περισσότερες φορές μού θυμίζει ένα ιταλικό, σικελιάνικο μάλλον τραγούδι από την ταινία *Χάος* των αδελφών Ταβιάνι. Θυμάμαι ξανά τα μάτια ενός μωρού που κοίταζαν γεμάτα φεγγαρίσιο φως καρφωμένα κατά τη σελήνη. Το ρουφούσε το μωρό εκείνη η σελήνη, όπως και το μωρό ρουφούσε τη σελήνη.

Τα μάτια της μικρής Μάρως παρέμειναν τελικά μπλε και αστραφτερά από δικά της φεγγάρια. Πολύ μπλε, πολύ αστραφτερά και με ματιά βαθιά όπως σε εξετάζει καλά καλά μέσα στα δικά σου μάτια. Είναι ένα μωρό που ξεφεύγει εξαρχής από τον θεόκλειστο ιδιωτικό έσω χώρο των μωρών και αναζητάει να παρατηρήσει τον άλλο. Μου έκανε κατάπληξη από τις πρώτες μέρες της αυτή η κίνηση της καρδιάς της, της περιέργειά της προς τα έξω. Κοιτά σοβαρά, κοιτά τρυφερά, γελαστά, πολύ γελαστά ή απορημένα και το λαμπερό της μπλε στραφταλίζει σαν μικρές θάλασσες. Διάβαζα κάπου ότι το όνομα Μάρω προέρχεται βέβαια από το Μαρία της Θεοτόκου μας, αλλά συναντιέται και σε κάποια κείμενα, μάλλον της ελληνορωμαϊκής περιόδου. Προέρχεται, λέει, από το *μάρε*, το mare, θάλασσα, και σημαίνει κάτι σαν θαλασσένια, θαλασσινή.

Είναι όμορφη, αλλά εγώ μαγεύομαι πιο πολύ από την καλοσύνη της. Για μένα πάντοτε η καλοσύνη ήταν και είναι το πιο ερωτεύσιμο στοιχείο. Όλα τα άλλα που θέλω και που με ελκύουν έρχονται μετά. Εξυπνάδα ή γενναιότητα, ομορφιά ή δοτικότητα ή προστασία. Η καλοσύνη όμως πρώτη πρώτη με αφοπλίζει και μου ρίχνει κάτω τις άμυνες, ασκεί πάνω μου γοητεία, μου σφίγγει με πόνο σχεδόν την ψυχή. Όσο πιο αθώα η καλοσύνη, τόσο πιο ερωτεύσιμη. Προχθές έγραψα στη σελίδα μου στο facebook πως *Καλοσύνη χωρίς ταπείνωση, χωρίς άγνοια ότι «είμαι καλός», είναι τελικά φιγούρα και επίδειξη*. Εν ολίγοις, δεν είναι καθόλου συμπαθητική μια τέτοιου είδους καλοσύνη. Ούτε καλοσύνη είναι βέβαια. Της εγγονής μου η καλοσύνη είναι γνήσια, αυθόρμητη, αθώα, μπορεί να σε κομματιάσει. Περίεργο για μωράκι λίγων μηνών, ηλικία που τα παιδιά είναι άκρως εγωκεντρικά και ναρκισσιστικά, αλλά τούτη εδώ η μικρή δείχνει όντως να γυρεύει και να παρατηρεί τον απέναντι, να βγαίνει έξω από το κορμάκι της, να σε προσέχει, ίσως και να σε συμπονά. Όταν η άλλη γιαγιά της, η Κατερίνα, έφτασε από τη μακρινή πατρίδα της τα Χριστούγεννα για να τη γνωρίσει, όταν μπήκε βράδυ στο σπίτι κατάκοπη από ένα μακρύ ταξίδι, όταν πρωτοκοίταξαν η μια την άλλη με λαχτάρα και περιέργεια, η μικρούλα άπλωσε το χεράκι της και της χάιδεψε το μάγουλο.

Αυτό το συμπονετικό χεράκι της στο μάγουλο μας το κάνει από τότε συχνά, όταν είμαστε κάπως, όταν δείχνουμε κουρασμένοι. Κι αυτή της η κίνηση με λιώνει τόσο μα τόσο, με κάνει να ξεχνώ κάθε απογοήτευση της ζωής, των ανθρώπων, του εαυτού μου πρώτα, και να θέλω να κάνω σκοπό μου από εδώ και πέρα αυτό που με πλημμυρίζει: Να μη χάσει την τρυφερή συμπόνια της που ο Θεός τής χάρισε σαν δώρο γέννησης.

Είναι και που ζω ένα μωρό τώρα αλλιώς.

Σε άλλη ηλικία μου, με άλλη ελευθερία μου, πιο ξέγνοιαστα κατά κάποιο τρόπο. Με άλλα συμπεράσματα πια για το τι αξίζει στη ζωή, με άλλες ιεραρχήσεις και προτεραιότητες. Έχω κάνει μεγάλη διαδρομή ευτυχίας και δυστυχίας, ελπίδας και απόγνωσης, προκειμένου να φτάσω σ' αυτή την ηλικία μου, σ' αυτό το μωρό.

Τώρα έχουν τις πιο βαριές ευθύνες οι γονείς της. Είναι η σειρά τους να δοκιμάσουν τη δοκιμασία των δοκιμασιών, το να έχεις παιδί. Εγώ παίζω μαζί της τα απογεύματα, γελώ, την ταΐζω, της πλένω τη μουρίτσα, της αλλάζω την πάνα μια δυο φορές, και ζω άλλες ευθύνες, έχω να κάνω διαφορετικά πράγματα από όσα έκανα στον γιο μου σαν μητέρα, πολύ νέα, πολύ σαστισμένη και αγχωμένη, γεμάτη άγνοιες, διαβάσματα και άλλες έγνοιες, άλλους στόχους, δίψες και δουλειές. Τη Μάσενκα μπορώ ήρεμα να κάθομαι και να την παρατηρώ επί ώρες και ώρες ακούραστα. Χωρίς ανησυχία να βολέψω κι άλλες υποχρεώσεις που με περιμένουν. Μόνο την αγκαλιάζω, τη φιλώ και την παρατηρώ. Σαν γεωπόνος με φακό που παρακολουθεί ενός ελάχιστου βλαστού την πορεία, το σκάσιμο του μπουμπουκιού όπως ανοίγει σε φιλμ *σλόου μόσιον*. Βλέπω τώρα όχι μόνο για την ίδια αλλά και για τον άνθρωπο πολλά, πιο πολλά, πιο λεπτομερή και λεπτά, πιο θαυμαστά, πιο ανεξήγητα από όσα, τόσα και τόσα χρόνια που ζω, απίστευτα πολλά πια χρόνια ζω, έχω προσέξει.

Την κοιτάζω προσεχτικά και όλο αναρωτιέμαι διάφορα. Μα από πού έμαθε να χαμογελάει από τις πρώτες της ώρες; Για τις πρώτες ώρες, τις πρώτες μέρες, είπαμε μεταξύ μας ότι τα βιαστικά της γλυκά χαμόγελα θα είναι απλά αντανακλαστικά, συμπτωματικές συσπάσεις στο μουτράκι. Όμως σύντομα τα χαμόγελα άρχισαν να φαίνονται φανερά συνειδητά, ανάλογα το ποιος έσκυβε πάνω της να της μιλήσει γλυκά, να της κάνει αστεία, να της προφέρει τις φρασούλες με διάφορες κεφάτες φωνές. Τα χαμόγελά της ολοφάνερο είναι η χαρά της όσο και η χαρά μας. Σε λίγους μήνες, κατά τα Χριστούγεννα, στα αστεία που της κάνουμε θα σκάει σε δυνατά γελάκια! Την πρώτη φορά που ακούστηκε αυτό το δυνατό, κακαριστό γελάκι της μείναμε άφωνοι σαν να έγινε μέσα στο δωμάτιο ξαφνικό θαύμα! *Δεν είναι δυνατόν!* λες. «Δεν είναι δυνατόν!» θυμάμαι είχα πει κι εγώ τότε στη Ρόδο, όταν ξάφνου ο Γιώργης ακούστηκε να γελάει έτσι πρώτη φορά. Όχι χαμόγελα και χαρούλες αλλά ένα γέλιο ανθρώπινο, δυνατό, με κυματισμούς. Τρόμαξα θυμάμαι, έτρεξα και τηλεφώνησα στην Αθήνα στη μητέρα μου να της το πω και να τη ρωτήσω: «Έτσι συμβαίνει;…»

Γελάει πολύ λοιπόν τώρα, με έκρηξη, με ήχους γλυκούς, με ανεβοκατεβάσματα κι αυτή στη φωνή της. Έχει και χιούμορ! Πώς και από πού, πότε το διδάχτηκε; Μαθαίνεται η χαρά; Το τι είναι αστείο; Η ευχαρίστηση, η λύπη, η ανησυχία, ο φόβος; Εντάξει η πείνα, εντάξει το κλάμα για τους κολικούς, αλλά τα συναισθήματα; Τα κωμικά; Τα χαρούμενα; Η έκπληξη; Το κέφι; Η περιέργεια; Τόσο πολλά και αλλιώτικα συναισθήματα που από πολύ νωρίς δείχνει να νιώθει! Υπάρχει μέσα της ένας μηχανισμός καλοκουρδισμένης ύπαρξης που αναπτύσσεται ώρα την ώρα; Ανθρώπινης συναισθηματικής ύπαρξης, με διάκριση, με κρίση; Και πόσο βιαστικά και γρήγορα τρέχει τούτος ο μηχανισμός!

Ειλικρινά, δυο μέρες να κάνω να τη δω, και, μπαίνοντας ανυπόμονη μέσα στο σπίτι, το πιάνω με την πρώτη ματιά πόσο έχει πάλι μεγαλώσει. Σαν τα λουλούδια στις γλάστρες άμα ανοίγεις πρωί την μπαλκονόπορτα. Χθες το βράδυ τα άφησες κλειστά, τυλιγμένα σε πράσινα φύλλα, και ξάφνου αντικρίζεις μια κατακόκκινη έκρηξη στη βεράντα. Τι καλλιτέχνης, τι δημιουργός είναι ο Δημιουργός! Και μετά ξαναλέω, αν από τη φύση της γνωρίζει το αστείο, το χαρούμενο, το στενάχωρο, το καλό και το κακό από πότε και πώς το μαθαίνει; Έχει γνώση προσωπική, έμφυτη και πριν της το διδάξουν οι γονείς της; Έχει ήδη κάτι σαν αυτό που ο σπουδαίος μας καθηγητής στο Λύκειο, ο κύριος Ιωάννης Ματιάτος μάς έλεγε: Έμφυτο ηθικό νόμο;

Το σχολειό, τα διαβάσματα, τα πεσίματα, τα παθήματα που θα πάθει αργούν ακόμη να τη βρουν. Πού γνωρίζει ήδη όσα πολλά και σημαντικά γνωρίζει; Τούτο το μωρό που το ζω από τόσο πολύ κοντά, από τόσο στενά, με μοναδική υπομονή εγώ η παράλογα, η αμαρτωλά ανυπόμονη, που το ζω με πάμπολλες λεπτομέρειες στην προσοχή μου, θα με κάνει να γίνω ανθρωπολόγος. Να μελετήσω δηλαδή πόσο η επιστήμη της ανθρωπολογίας δίνει απαντήσεις στις απορίες μου και σε τι βαθμό παραμένουν μυστήριο τα όσα αισθάνεται ένα βρέφος. Σε ένα κάποιο ποσοστό δηλαδή μυστήριο.

Και η ίδια είπαμε διψάει για πληροφορίες, για γνώσεις, για κατανόηση. Να κατατοπιστεί, να καταλάβει τι συμβαίνει εδώ που ζει. Ναι, είναι εμφανές πως θέλει έντονα και ήδη να κατανοήσει το πού βρέθηκε, ποιοι είμαστε εμείς που της τύχαμε, από πού έρχεται ο κάθε ήχος, τι σημαίνει. Από νωρίς έχει μια ιδιαίτερη περιέργεια για τους ήχους. Πάντα εγωιστές και φιλόδοξοι εμείς οι γύρω της, αμέσως αποφασίζουμε πάλι ότι κρύβει μια μουσικό μέσα της, άλλωστε από την πλευρά της Αλέσιας υπάρχουν σοβαρά γονίδια που μπορεί να την προικίζουν με μουσικά ταλέντα. Δε χάνουμε ευκαιρία να καμαρώνουμε και γι' αυτό. Σε βαθμό κομπασμού. Είναι που είναι τόσο ιδιαίτερη η δικιά μας ή έτσι συμβαίνει με όλους τους γονείς, τις γιαγιάδες; Οι απορίες που μας γεννά αυτή και η δικιά της άφιξη γίνονται όλο και πιο χαζές.

Από πιο πριν είπαμε πως η γνώση του εαυτού σου είναι η πιο σημαντική, η πιο ρευστή, απατηλή, η πιο απρόσιτη. Όλη η φιλοσοφία, η τέχνη αυτό αναρωτιέται και θα αναρωτιέται ηδονισμένη από έξυπνα ή εξυπνακίστικα επιχειρήματα. Από αντιφατικές θεωρίες: Τι είναι ο άνθρωπος; Από πού ήρθε και πού πάει; Πώς πλάστηκε; Από αγαθό Θεό ή από συναρμολόγηση φυσικών νόμων; Ποιος είμαι εγώ; Ποιος εσύ; Θα μάθω κάποτε ή πάντα θα φαντάζομαι;

Περνούν οι μήνες και αρχίζουν να της κάνουν μεγάλη εντύπωση τα καθρεφτάκια. Ένα στρογγυλό που κρέμεται με άλλα παιχνίδια στην κούνια της, ένα άλλο μέσα σε πάνινο κύβο, ένα μεγαλύτερο σε παιχνίδι με λόγια και μελωδίες. Σκύβει και ψάχνει στον καθρέφτη και κοιτά βαθιά, με υπερβολικό και σοβαρό ενδιαφέρον παρατηρεί το μωράκι που από εκεί μέσα την κοιτάζει. Δεν την τρομάζει, ούτε του γελά ακόμη, είναι σοβαρή και ήρεμη συνήθως μαζί του. Δεν ξέρω αν κάτι δικό της, εσωτερικό και παλιό τής θυμίζει, δεν ξέρω τόσο νωρίς τι παίζεται με τον καθρέφτη, στο παιχνίδι με το πρόσωπο, το είδωλο και την αντανάκλασή της.

Όταν όμως εγώ γέρνω δίπλα της και εμφανιστεί στον ίδιο καθρέφτη το δικό μου είδωλο, βάζει χαρούμενη τα γέλια, γυρνάει και με κοιτά, μια εμένα, μια το είδωλό μου, το βρίσκει αστείο, σαν φάρσα, σαν παιχνίδι μας, το ότι έχει ξάφνου δυο ίδιες γιαγιάδες μια εδώ και μια εκεί, καταλαβαίνει από τους πέντε μήνες πως είμαι η ίδια και στην αντανάκλαση, εγώ και ένα άλλο περίεργα οικείο παιδάκι παραδίπλα μου.

Στα πανεπιστημιακά βιβλία ψυχολογίας αναφέρεται ο τρόπος που οι γονείς παρατηρούν πότε το μωρό αρχίζει να αντιλαμβάνεται ότι το είδωλο του καθρέφτη είναι ο εαυτός του. Του κάνουν λέει στη μύτη μια μουντζούρα και το πλησιάζουν κοντά στον καθρέφτη να τη δει. Αν το είδωλο είναι ένα άλλο παιδί, απλώνει το χεράκι του να πιάσει την παράξενη μουντζούρα στο ασημένιο γυαλί πάνω. Αν αρχίσει να υποψιάζεται πως εκεί μέσα, με τρόπο μαγικό, είναι ο ίδιος του ο εαυτός φέρνει το χεράκι στη δικιά του μύτη. Τώρα που τα γράφω είναι έξι και κάτι μηνών, δε νομίζω όμως πως υποψιάζεται το μυστικό της αντανάκλασης στους καθρέφτες. Αύριο το απόγευμα που θα μείνω μαζί της ώρες πολλές θα δοκιμάσω να της κάνω με το μολύβι των ματιών μου μια μουντζουρίτσα στη μύτη.

Μεγαλώνει, μεγαλώνουν και πληθαίνουν πολύ γρήγορα και οι γνώσεις της, η εξυπνάδα της, αυτά που αναζητάει και που καταλαβαίνει. Διορθώνονται οι αδέξιες κινήσεις της, διαμορφώνονται οι φωνίτσες, οι ήχοι της. Σαν να ελέγχει καλύτερα το κορμάκι της. Η δικιά μας συμμετοχή είναι βοηθητική, στηρικτική, σίγουρα σημαντική, αλλά, το βλέπω, η ανάπτυξή της είναι περισσότερη από τη δικιά μας συμμετοχή, παράξενα περισσότερη. Έρχεται από μέσα της. Είναι η ίδια η μικρούλα που κάνει τον μεγαλύτερο αγώνα από όλους μας να υπάρξει, να ζήσει, να καταλάβει τα πάντα ενώ –υποτίθεται έστω– δε γνωρίζει τίποτα. Ένα γλυκό τρυφερό μηδέν, που πρέπει να γράψει, να ζωγραφίσει και να ζήσει το δικό του μυθιστόρημα-ποταμό. Όλα τούτα είναι τόσο μεγάλα, τόσο μεγαλειώδη, τόσο πάμπολλα και περίπλοκα που ευτυχώς ο νους μας δεν τα χωρά, το στομάχι μας δεν τα χωνεύει, ούτε ο τεμπέλικος εγκέφαλός μας, που οι επιστήμονες επιμένουν πως χρησιμοποιεί περίπου μόνο το οκτώ τοις εκατό των δυνατοτήτων του. Λίγο λίγο κι εμείς συζούμε από κοντά όσα της συμβαίνουν τρέχοντας, και μέρα τη μέρα προχωρά η ζωή, η ζωή της. Μέρα τη μέρα αντέχουμε να καταλαβαίνουμε μερικά.

Την κρατώ αγκαλίτσα και έχει γείρει το ζεστό κεφαλάκι σε ύπνο βαθύ. Είναι από τις πιο τρυφερές στιγμές της ζωής μου ο γλυκός της ύπνος, και κάνω μόνη μου μια υπόθεση, ρητορική βέβαια: Αν ζούσε κάπου σε τόπο έρημο, σε μια ζούγκλα, σε μια στέπα, μακριά από ενήλικες, χωρίς άλλους ανθρώπους να τη διδάσκουν, να τους μιμείται, πώς θα επιζούσε; Θα εξελισσόταν; Θα γινόταν άνθρωπος; Θα αγαπούσε; Η απορία μου αυξάνεται όσο αυξάνεται και την παρακολουθώ η ίδια η εγγονή μου, σε σώμα, σε συναίσθημα, σε κρίση, σε αντίληψη, ακόμη και σε όλο νέες πράξεις, δικές της αιφνίδιες πράξεις απρόβλεπτες.

Θα πάω να ψάξω και να διαβάσω εκείνο το βιβλίο που μαθήτρια όλο σχεδίαζα να διαβάσω αλλά δε διάβασα τελικά. Το βιβλίο του Μόγλη!

Ιντερμέτζο
για χειμωνιάτικο παραμύθι

Ο κύριος μετεωρολόγος έχει προβλέψει πως από αύριο, από τούτη μάλλον την ίδια αποψινή νύχτα, οι θερμοκρασίες θα πέσουν «δραματικά» και το πρωί θα ξυπνήσουμε με παγετό, χιονόνερο στο κέντρο της Αθήνας, χιόνια στην Πάρνηθα και τα γύρω ορεινά, ίσως και στα Βόρεια Προάστια. Κάποια σχολεία μπορεί να μείνουν κλειστά και φανταζόμαστε τη χαρούμενη αγωνία των μαθητών, ώσπου το Υπουργείο Παιδείας ή οι Δήμοι να προσδιορίσουν ποια σχολεία ακριβώς.

Και μόνο που ακούς τα δελτία καιρού, παγώνεις. Πότε πότε βήχεις, ή φταρνίζεσαι και νομίζεις πως έχεις ήδη ρίγη. Πόσα δε μας φυτεύουν ως εσωτερική προκατάληψη αυτά που ακούμε από τα δελτία ειδήσεων! Σε κακό και σε καλό! Σε καλό;… Μα τι λέω;…

Οι μετεωρολόγοι φέτος μας άλλαξαν τα φώτα σε λάθη και λαθεμένες προειδοποιήσεις, αλλά μάλλον δε φταίνε οι καημένοι οι ίδιοι. Φταίει η παραξενιά, λέει, της φύσης που τείνει να αλλάζει γνώμη για τις θερμοκρασίες και τα κόλπα της πάρα πολύ εύκολα, ξάφνου, και σύντομα. Ο καιρός είναι από μόνος του κυκλοθυμικός, ειδικά τα τελευταία χρόνια. Έτσι μας εξηγούν κάποιοι μαθηματικοί. Φαντάσου ότι ο κόσμος έπειτα από τόσους καύσωνες, με τέτοιο βαρύ χειμώνα, αρρώστιες, ακριβή θέρμανση, το γύρισε να ενδιαφέρεται και να ρωτάει για τα μερομήνια! Τις πανάρχαιες εμπειρικές προβλέψεις καιρού των αγροτών, των βοσκών, των καλόγερων και όσων, δεμένων σαν ερωτικό ζευγάρι με το χώμα τους, ξέρουν να συνεννοούνται με τη γη και τα πλάνα της πολύ καλύτερα από τους πτυχιούχους.

Αυτή τη φορά όμως κάνει τέτοιο κρύο έξω, ώστε όσα λάθη και να κάνει ο κύριος μετεωρολόγος στην τηλεόραση στα σίγουρα θα ξεπαγιάσουμε. Γι' αυτό η Μάσενκα είναι ντυμένη καλά, η μαμά της τη σκεπάζει μόλις κοιμηθεί με ένα πουπουλένιο κουβερτάκι, και ο φίλος της ο Βαγγέλης εμφανίστηκε το απόγευμα για να της πει πως αλλάζουν τα συνηθισμένα σχέδιά τους.

«Μάσενκα, φίλη μου», της λέει, της λέω δηλαδή εγώ με τη φωνή του αρκούδη Βαγγέλη που κρατώ στο χέρι μου, που με κάνει κι εμένα την ίδια να αισθάνομαι πάνινη και αρκούδης αυτοπροσώπως. «Συγγνώμη σου ζητώ, συγχώρεσέ με, που άργησα να περάσω και να δω τι κάνεις σήμερα, αλλά μου έπεσαν μπόλικες δουλειές. Τα νέα δεν είναι ευχάριστα... Δε θα σε πάρω να πάμε στο δάσος περίπατο μαζί με τη Λάουρα, τον Τζιτζιγιώργο και τη Χαρά. Άλλαξαν τα προγράμματά μας. Ούτε στο δάσος μας θα περπατήσουμε, ούτε κυκλάμινα, ούτε φράουλες εντέλει θα κόψουμε...»

(Για φράουλες, που της λέω, δεν καλοξέρω αν το καταχεί-

μωνο κάπου υπάρχουνε, ιδέα δεν έχω, αλλά ευτυχώς στα παραμύθια τέτοιες επιστημονικές ακρίβειες δεν έχουν καμιά σημασία. Όταν γενικά λέω σε παιδί παραμύθι το καταχαίρομαι, γιατί μπορώ να ξεφουρνίζω το οτιδήποτε χωρίς τύψεις, χωρίς άγχος μην κάνω σφάλμα. Στα παραμύθια, στα όνειρα και στη φαντασία των παιδιών ο κόσμος είναι ευρύτατος, πολυδιάστατος και διεσταλμένος, γυρνάει γύρω γύρω κι αλλάζει σχήματα όπως το καλειδοσκόπιο, όλα μπορεί να τα περιέχει ή να τα αφαιρέσει, όλα μπορούν να μπαινοβγαίνουν ανετότατα, χωρίς διόδια, τεστ και βαθμολογήσεις. Όσο πιο μικρό το παιδάκι, τόσο πιο ελεύθερα, υπερρεαλιστικά και ποιητικά παραμύθια μπορείς να του πεις. Δεν είναι πως δεν ξέρει να σε διορθώσει με την άγνοια και την απειρία του, είναι που τα παιδάκια ζουν μεταφυσικά, έχουν άλλου είδους πείρες και άλλα ταξίδια σε διαστάσεις αλλιώτικες).

«Που λες, Μαράκι μου», συνεχίζει ο πάνινος φίλος, «εγώ τώρα λέω να φεύγω και χίλια συγγνώμη. Ξέρεις πως σου έχω ιδιαίτερη αδυναμία, γιατί είσαι κοπελίτσα σωστή και σε έχω ψηλά στην υπόληψή μου. Όμως βιάζομαι να ανεβώ στο βουνό, να κοιτάξω τι στο καλό θα κάνω με την ξύλινη καλύβα μου. Έρχεται παγωνιά και χιόνι βαρύ. Να κλείσω τις τρύπες και την καμινάδα, να κλείσω με εφημερίδες τα πορτοπαράθυρα γιατί θα χιονίσει "δραματικά" λέει απόψε εκεί πάνω. Να μαζέψω και ξερά ξύλα να έχω φωτιά, να φτιάξω καμιά σουπίτσα να υπάρχει. Το ξέρω πως εσύ πίνεις ακόμη μονάχα γάλα και από σουπίτσες δε γνωρίζεις τι γεύση έχουνε, όμως σύντομα η μαμά θα σου φτιάξει την πρώτη σου από λαχανικά, λαδάκι, μετά και κρεατάκι, και θα καταλάβεις... (Εδώ η

μικρούλα τον κοιτά με μεγαλύτερο ενδιαφέρον και σαν να μου φάνηκε ότι έβγαλε έξω βιαστικά τη γλωσσίτσα της, δεν ορκίζομαι γιατί την ξανατράβηξε αυτόματα πίσω.) Δεν ξέρω καθόλου πού είναι η Λάουρα, ούτε ο ομορφονιός ο Τζιτζιγιώργος. Για τη Χαρά τι να πω, όλο πάει και κρύβεται, τα ξέρεις, καλό χούι και τούτο!... Αν περάσουν μια στιγμή από εδώ να τους τα πεις, σε παρακαλώ, τα νέα μου, τους μπελάδες μου, να μη με ψάχνουν».

Το Μαράκι τον κοιτάει με έγνοια και έκπληξη. Τα μάτια της γεμίζουν με γαλανή απορία και φαίνεται πράγματι να καταλαβαίνει το πνεύμα όσων της λέει ο φιλαράκος της. Θα χιονίσει απόψε! Αναβάλλεται ο περίπατος στο δάσος τους! Πρέπει να ανεβεί και να φροντίσει την ξύλινη καλύβα! Έτσι λοιπόν! Κάτι αλλάζει από τα συνηθισμένα απογεύματα και τα μάτια της διαστέλλονται. Το βλέπω καλά πως δεν είναι να μη λες στα πολύ μικρά, στα τόσο μικρά όσο η εγγονή μου, τα πράγματα ως έχουνε. Τα παραμυθένια πράγματα, τα αληθινότερα δηλαδή, τα αρπάζουν πιο άμεσα από όσο μπορεί να πιστέψει το περιορισμένο μυαλό των μεγάλων. Είναι περίεργη και έτοιμη για πληροφορίες, τα ματάκια της διψούν, θέλει να περιεργαστεί τον κόσμο και το σπίτι όπου βρέθηκε, τους συγγενείς που της έλαχαν, τα αυθεντικά τα πιάνει, τα ενδοβολεί –που λέει κι η ψυχολογία– με την πρώτη, σαν ανοιχτό παράθυρο. Σαν από ανοιχτό παράθυρο τα ρίχνει μέσα στο μυαλουδάκι της, στο στόμα της πρώτα και απαραίτητα, κι από εκεί στην ψυχή της. Και θυμούνται αφάνταστα καλά τα μωρά, οι καταγραφές τους δεν είναι σε χιόνι ή σε άμμο όπου ο πρώτος άνεμος τα φυσάει και «σβήστηκε η γραφή», οι καταγραφές τους είναι σαν των πρωτόγονων, εκείνων της Λίθινης Εποχής, που σμίλευαν μορφές και σχήματα, παραστάσεις πάνω σε βράχους.

Ναι, τα λατρεύω τα παραμύθια μας. Υπερβαίνουν τις «λογικές» πραγματικότητες και διηγούνται τα πράγματα έτσι όπως είναι, δηλαδή υπέρλογα. Τα μάτια της μικρούλας με οδηγούν να λέω παραμύθια άγνωστα και της αφήνομαι. Τώρα από τις δυο μας, τα δικά της μάτια, η γαλανή της ματιά, η σκούρα τρομερή ίριδα, που με ψάχνει βαθιά στα βαθιά μου, είναι η συγγραφέας.

Ο Βαγγέλης βιάζεται και θέλει να φύγει για το βουνό. Θέλει να προλάβει το σκοτάδι και την πτώση της θερμοκρασίας που θα του δυσκολέψει περισσότερο τις δουλειές. Πόσο θα κάνει να ξαναπεράσει από εδώ; Δεν μπορεί να μας πει με βεβαιότητα.

«Δυστυχώς, Μάσενκα, το ξέρεις πως είμαι συνεπής στα ραντεβού, όμως εδώ δεν εξαρτάται από μένα αλλά από τον καιρό... Λυπάμαι, καλή μου φίλη! Αν το χιόνι είναι πυκνό και το στρώσει, θα είναι δύσκολο να κατεβώ από τα μονοπάτια και να φτάσω στο σπίτι σου. Μπορεί πάλι και να μην κρατήσει».

Σύντομα να κανονίσει η μικρή παρέα τους τη βόλτα στο δάσος με τις ίσως φράουλες. Τα κυκλάμινα πάντως έχει ακούσει ότι αντέχουν στον πάγο, ιδίως τα μοβ. Ούτε κι αυτός έχει εμπιστοσύνη στους μετεωρολόγους, το δήλωσε με κάποιο θυμό στη Μάσενκα.

«Οι μετεωρολόγοι και οι δημοσκόποι τα έχουν κάνει μούσκεμα τελευταία, κορίτσι μου».

Τον κοιτάζει με ακόμη πιο μεγάλα μάτια. Βγάζει κιόλας μια φωνούλα από νότες τρεις και δύο ιι. Σαν να της βάζει νέες έγνοιες τώρα. Σαν να τον ρωτάει: Και τι δουλειά να κάνω άμα μεγαλώσω εγώ;

«Μπορείς να γίνεις μπαλαρίνα ή να παίζεις πιάνο», απαντάει σοβαρά σαν παιδοψυχολόγος ειδικευμένος στον επαγγελματικό προσανατολισμό ο Βαγγέλης. Φαντάζει βαλτός από τη μαμά της και από τη γιαγιά της που ήταν δικά τους αυτά τα χαμένα όνειρα. «Μπορείς να μάθεις και αρχαία συριακά ή πολλές αρχαίες γλώσσες», προσθέτει για να μην αδικήσει και τα πατρικά γούστα.

Όμως εγώ του κόβω τον βήχα, είπαμε, δεν επιτρέπεται να φορτώσουμε στο παιδί δικές μας προσδοκίες.

«Μη νοιάζεσαι, καλή μου φίλη, μην αγχώνεσαι, έχεις πολλά χρόνια μπροστά σου να το καλοσκεφτείς και να αποφασίσεις. Και σε παρακαλώ θερμά, θερμότατα σε παρακαλώ, μικρή, έξυπνη φίλη μου, κανένα να μην ακούσεις όταν είναι να διαλέξεις έρωτα ή το επάγγελμά σου».

Το τελευταίο το πρόσθεσα από ενοχές εγώ στα λόγια του Βαγγέλη για να διορθώσω τη ροπή μου για παρέμβαση. Δεν είναι και τόσο εύκολο, μη νομίζεις... Ακούστηκα δασκαλίστικη, ακούστηκα καθωσπρέπει, έτσι όπως ακουγόμαστε όταν επιστρέφουμε σε μια κουβέντα λογική και σε μια συμβουλή που προφέρεις –σ' αρέσει ή όχι– αφού έτσι πρέπει.

Πώς να μην παρέμβεις όμως στον δρόμο ενός μικρού, ενός ελάχιστου παιδιού, πώς να μην το επηρεάσεις; Και τίποτε, από όσα εσύ θες, ποτέ σου να μην του πεις, εκείνο που σ' αρέσει, που δε σ' αρέσει, εκείνο που είσαι, εκείνο που είσαι το *όντως υπαρκτό, το όντως αναπόφευκτο, πώς γίνεται να μην το δει; Να μη σηκώσει το χεράκι του να το αγγίξει το μάγουλό σου, το μέτωπο, να σου τραβήξει από αγάπη τα μαλλιά, να το περάσει στο πάλλευκο είναι του, έστω λιγάκι, έστω τόσο δα; Όταν το αγκαλιάζεις τόσο σφιχτά, όταν το κρατάς τόσο ζεστά πάνω στην καρδιά σου, όταν φιλάς το μαγουλάκι του και τους κροτάφους τους μεταξένιους πάνω από το μυαλό του, πώς γίνεται να μην το επηρεάσεις με την καλή και με τη μαύρη ψυχή σου; Ας το έχουμε όμως κάπως κατά νου, ας μην το παρακάνουμε, ας μην το γεμίζουμε παροτρύνσεις και, γι' αυτό ακριβώς, ενοχές. Εφόσον μονάχα οι ελεύθερες καρδιές έχουν ελπίδα να γίνουν ευτυχισμένες, αφού μονάχα οι ελεύθερες καρδιές μπορούν και αγαπούν.*

Είπα τη λέξη πάλλευκο και ο Βαγγέλης που κρατώ και κουνώ στο δεξί μου χέρι αναστατώθηκε. Ξαναθυμήθηκε το χιόνι που κατεβαίνει όλο και πιο ζωηρό, σαν πονηρές χορεύτριες, σαν αποφασισμένες νύφες, σαν στρατός σε κατηφόρα.

«Έχεις μέλι λοιπόν, Μάσενκα! Ήρθα για δυο λεπτά να σ' τα πω και κοντεύει μισή ώρα. Στο τέλος θα με προλάβει η νύχτα και αλίμονο...»

Ευχή

Έχει φτάσει πια η αυγή της άνοιξης στην αρχή αρχή της, Μάρτης του 2017. Ο καιρός έχει γλυκάνει επιτέλους έπειτα από έναν χειμώνα ιδιαίτερα μακρόσυρτο, σκληρό και βαρύ, ακόμη κι εγώ που είμαι χειμωνιάτικος τύπος απόκαμα μ' αυτήν τη δίχως τέρμα παράταση της παγωνιάς. Δεν ήταν φέτος μονάχα οι ταλαιπωρίες μας από τα κρύα, ήταν και οι διαρκείς μας τύψεις, αόριστες έστω, αλλά κάπου παρούσες και αγκαθωτές στην όποια μας συνείδηση, ότι υπάρχουν άστεγοι σε τούτη την τεράστια ανοικονόμητη πόλη, υπάρχουν πρόσφυγες και μετανάστες που τυραννιούνται απάνθρωπα… Ακόμη και όσοι προσφέρουν μια κάποια βοήθεια, που στέλνουν κάτι στους αναγκεμένους του περιθωρίου, αυτοί ακόμη περισσότερο, δε γλιτώνουν από τις ενοχές. Δεν τολμάς να χαρείς το χιόνι τη νύχτα που πρωτοπέφτει ονειρικό, δεν τολμάς να χαρείς τον ήχο του καλοριφέρ σου που ανάβει. Ήταν ένας χειμώνας πολύ σκληρός.

Γλύκανε λοιπόν ο καιρός, αλλά τα σύννεφα πάνε κι έρχονται σαν αναποφάσιστη καρδιά ύστερα από μια σοβαρή πρόταση γάμου, που έλαβε, και το παλεύει τι ακριβώς να απα-

ντήσει. Σε δυο ώρες θα φύγω από το σπίτι μου και θα πάω στο σπίτι του μωρού μας.

Αφήνω πίσω τις καινούργιες σκέψεις που μου γεννάει το εγγονάκι μου που έχει φτάσει σήμερα ήδη έξι μηνών, μισού έτους άνθρωπος, γυρνώ πίσω, στις σελίδες αυτού του βιβλίου, και ξεφυλλίζω τις πρώτες, τις έκπληκτες σημειώσεις μου. Όσα σημείωνα τον μαγικό Αύγουστο του 2016 που γεννήθηκε, που γεννηθήκαμε κι εμείς αλλιώτικοι μαζί του. Τότε που ξεκίνησα να τρέχω να την προσέχω, να τη φροντίζω κι εγώ τα καλοκαιρινά απογεύματα. Κάθε μέρα απορημένη να φωνάζω μόλις έμπαινα από την εξώπορτα και την ξαναντίκριζα: «Πόσο μεγάλωσε από χθες!...»

Πίσω λοιπόν και σε ένα απόγευμα θερινό, κάτω από ουρανό ατλαζένιο, όταν η μπέμπουσκά μας ζούσε ακόμη τον πρώτο πρώτο της μήνα. Και ξαναδιαβάζω από τότε:

Σήμερα όμως, όταν έφτασα στο σπίτι τους για να κάνω τη βάρδια μου, βρήκα τους γονείς της κάπως. Είπαν και οι δυο μαζί ότι όλη τη νύχτα το μωρό τούς είχε στο πόδι, έκλαιγε και φώναζε για να την κρατούν αγκαλίτσα, να της τραγουδούν, να τη χορεύουν, να συνεχίσει όλη νύχτα δηλαδή όσα της κάνω εγώ νωρίτερα. Τα βρέφη συνηθίζουν απίστευτα γρήγορα, είπαν.

«Μόνο χθες κάναμε τόσα παιχνίδια», απολογήθηκα. «Ήταν πολύ ανήσυχη και συνέχεια έκλαιγε σπαραχτικά, δεν μπορούσα να την αφήνω έτσι».

Η αλήθεια είναι πως δεν ήταν ακριβώς μόνο χθες το πάρτι με χορό, φιλιά και τραγούδια, αλλά είπα να τους καθησυχάσω με λίγη ανακρίβεια μην και με απολύσουνε.

«Πολύ γρήγορα κακομαθαίνουν τα μωρά», εξηγεί ο γιος μου. «Και κακομαθαίνουν συνήθως από τις γιαγιάδες».

«Μα σε μια μόνο μέρα;» επιμένω αθώα εγώ.

«Και σε μια μέρα», λέει.

Με τίποτα τότε δεν πρέπει να την κακομάθουμε, θα σας κάνει τη ζωή πατίνι τις νύχτες, συμφωνώ, το παραδέχομαι, α πα πα!... Ξέρω, ξέρω, το είχα πάθει κι εγώ με τις γιαγιάδες σου τότε. Από εδώ και πέρα ελάχιστα θα την κρατάω αγκαλίτσα, όσο χρειάζεται για τα αναγκαία της μόνο, κι αμέσως μετά στο κρεβατάκι της, στο πλάι, και με το μακρόστενο μαξιλάρι στην πλάτη. Υπερθεματίζω.

Αρχίζουν να υποχωρούν.

«Ε, δεν είναι απαραίτητο αμέσως στο κρεβάτι. Μπορείς να τη βάζεις και στην κούνια της».

«Τέλεια! Θα τη βάζω στην κούνια, εδώ μπροστά μου».

«Το να την κουνάμε στα χέρια είναι το πιο επικίνδυνο».

«Συμφωνώ, συμφωνώ, στην κούνια!»

«Όμως να μην την πολυκουνάς».

«Καθόλου δε θα την κουνάω!»

«Ε, δεν είπαμε και καθόλου. Να την κουνάς λίγο».

«ΟΚ! Θα την κουνώ λίγο».

Ποτέ μου δεν υπήρξα τόσο υποχωρητική στη ζωή μου. Δεν το συνηθίζω να μην υποστηρίζω τη γνώμη μου, ασφαλώς και τον εγωισμό μου. Είμαι από φύση παρορμητική και κάνω αγώνα προκειμένου να μη μιλήσω όταν με καίει κάτι που όμως δεν επιτρέπεται να ξεστομίσω. Εκείνες οι συνταγές που σε συμβουλεύουν να βάζεις τη γλώσσα σου μες στο μυαλό πριν μιλήσεις ή να μετράς πρώτα μέχρι το δέκα ποτέ δεν είχαν σ' εμένα κανένα μα κανένα αποτέλεσμα. Και μέχρι το χίλια να μετρήσω, στο τέλος δε θα αντέξω και θα το πω, και μάλιστα πιο έντονα, αναμμένη από την καθυστέρηση.

Αλλάζω;... Αλλάζω! Περίεργα αλλάζω τελευταία και αρχίζω να ανησυχώ. Είναι γεράματα; Είναι κούραση; Όχι, λέω, είναι αγάπη, είναι ξαφνικός έρωτας! Μα τόση διαλλακτικότητα δε θυμάμαι στον χαρακτήρα μου ποτέ μου. Φοβάμαι πως θα καταντήσω μια υποκρίτρια, μια θεατρίνα τώρα με την εγγονή μου, για χάρη της... Μου κάνει μάλιστα άσχημη εντύπωση η ευκολία με την οποία το κάνω. Που ξεγλιστρώ, που συμφωνώ ακόμη κι όταν δε συμφωνώ, που παίζω λιγάκι παιχνίδι, προκειμένου να μη χάσω αυτά τα πολύτιμα απογεύματα μαζί της. Να είμαι άψογη γιαγιά, να πηγαίνω με τα νερά τους. Πρώτη φορά με ενδιέφερε τόσο και μονάχα ο στόχος, να είμαι μαζί με το Μαράκι στις βάρδιες μου. Με κάθε όρο. Μπορώ να γίνω έτσι όπως ακριβώς με θέλουν οι γονείς της κι ακόμη περισσότερο έτσι. Υπερθεματίζω. Το «ο σκοπός αγιάζει τα μέσα», που πάντα σιχαίνομαι σαν τις αμαρτίες μου, έχει κάνει γενναίο ντου στη ζωή μου μετά τον τοκετό. Μετά την εμφάνιση της πιτσιρίκας στο προσκήνιο.

Οι γονείς, ο γιος μου πιο πολύ που με ξέρει από την πρώτη στιγμή που γεννήθηκε, με κοιτάζει και με ξανακοιτάζει βιαστικά. Εντάξει, καλούτσικη είμαι γενικά, αλλά τώρα μοιάζω σχεδόν με άγγελο. Άγγελο υπομονής, κατανόησης, συνεννόησης, υποχώρησης, ταπείνωσης, καρτερίας! Τέλος πάντων η ζωή μας εδώ μέσα πολύ μεταμορφώθηκε. Τι είναι η έλευση ενός μωρού! Καλά λένε, όλα αλλάζουν από τη μια στιγμή στην άλλη, ακόμη και η μάνα του Γιώργη εξελίσσεται αγνώριστη!

Όλοι μας έχουμε παρατηρήσει πόσο αλλάζει μια ατμόσφαιρα όταν ακόμη και ένας άνθρωπος προστεθεί σε έναν χώρο, σε μια σχέση, σε μια παρέα. Ακόμη κι αν έρθει να καθίσει πλάι μας ένας υπερβολικά ήσυχος και σιωπηλός χαρακτήρας, το κλίμα του χώρου και των άλλων προσώπων μεταμορφώνεται, αλλάζουν οι τρόποι και οι διαθέσεις, προς το χειρότερο ή προς το καλύτερο. Το πρόσωπο, το κάθε πρόσωπο που πλησιάζει συνεισφέρει μια νέα επιρροή. Πόσο πιο πολύ, ένα πρώτο μωρό. Μια Μάσενκα!

Ο Γιώργης και η Αλέσια ετοιμάζονται πια να ξεκινήσουν προς τη δύσκολη απομάκρυνσή τους, με βήματα μικρά, πίσω μπρος, όλο κάτι ξέχασαν να πάρουν ή να πουν. Τους αποχαιρετώ γλυκά, τους παροτρύνω να περάσουν ξέγνοιαστα, τους εύχομαι να το ευχαριστηθούν, να είναι εντελώς ήσυχοι, να χαρούνε την έξοδό τους, να μας ξεχάσουν επιτέλους, όλα θα πάνε τέλεια. Τέλεια και θαύμα!

Φεύγουν. Νομίζω πως κι οι ίδιοι υπολογίζουν κυρίως στο θαύμα. Φεύγουν! Ακούω που κατεβαίνει το ασανσέρ, που κλείνει η κάτω εξώπορτα προς τον δρόμο. Ησυχία! Η ησυχία παρατείνεται· όχι, δεν ξέχασαν ευτυχώς πάλι κάτι να γυρίσουν πίσω να το πάρουν.

Μένουμε οι δυο μας. Εκείνη, η Εκείνη κι εγώ. Την κοιτώ και με κοιτάει με τα αγγελικά της, ακόμη καταγάλανα μάτια. Τα ανοιγοκλείνει, ύστερα στρίβει λιγάκι το κεφαλάκι της και με ξανακοιτάει λοξά. Πάλι πετάει στον αέρα βιαστικά, ενωμένα μαζί, τα γυμνά ποδαράκια της, πάλι και πάλι, σαν εκκίνηση, σαν πρόκληση για πανηγύρι. Πετάει στον αέρα τα γυμνά αφράτα ποδαράκια της. Δυο μικρά τσουρεκάκια ολόφρεσκα που χρειάζεται εγκράτεια να μην τα δαγκώσεις. Θα ήθελε να πηδήξει πάνω, το βλέπω, θέλει να σηκωθεί, να κινηθεί, να πετάξει αλλά δεν μπορεί. Σαν να μου δίνει σινιάλο να τη σηκώσω. Να κινηθώ εγώ για χάρη της, να την περπατήσω, να δει το δωμάτιο και τον κόσμο από ψηλότερα. Η Τζούλι από δίπλα ήρεμη, πιο ώριμη, πιο γιαγιά από μένα, μας συμπαραστέκεται και ευτυχώς δεν ξέρει να μιλάει ανθρώπινα και να μαρτυράει μετά σε άλλους όσα γίνανε. Από τα μεγάλα προσόντα που έχει τούτο το αξιαγάπητο σκυλί είναι πως δεν μπορεί να μαρτυρήσει με λόγια όσα βλέπει και ζει. Δείχνει να σέβεται τη σχέση μου με το μωρό· αντίθετα από όσα φοβόμασταν δείχνει σχετικά υπομονετική, αφού τόσα χρόνια υπήρξε σ' αυτό το σπίτι η Τζούλι, η χαϊδεμένη και η μονάκριβη. Η πρωτότοκος, η πριγκίπισσα, η χαϊδεμένη. Τόσο χαϊδεμένη που η Αλέσια μου έλεγε μεταξύ αστείου και σοβαρού: «Νομίζω πως η Τζούλι καλύπτει την ανάγκη του Γιώργου για κόρη!»

Τα παιδιά που τη γνωρίζουν καλύτερα, η Αλέσια τη μεγάλωσε με μπιμπερό από τότε που ήταν μια χουφτίτσα κουταβάκι, πιστεύουν πως κατά βάθος λιώνει από ζήλια. Κι αν πράγματι ζηλεύει, τους λέω εγώ, ακόμη πιο πολύ μπράβο της! Μπορεί και το κρύβει αξιοπρεπώς και είναι κυρία! Ναι, είναι ένα σοφό σκυλάκι. Την ανταμείβω πού και πού. Της δίνω κομματάκια μουστοκούλουρα που την ενθουσιάζουν και, αφού τα καταβροχθίσει με τη γνωστή βουλιμία της, με τη γλώσσα σκουπίζει εντελώς τα ψίχουλα. Το πάτωμα λάμπει καθρέφτης. Ο Γιώργης κάποια στιγμή λέει να μην της δώσω περισσότερα.

«Μα δες την πώς με κοιτάει!» παραπονιέμαι για λογαριασμό της.

«Σε λίγο δε θα σε κοιτάει καθόλου. Τα γλυκά τυφλώνουν τα σκυλιά».

Εκείνο, λοιπόν, το απόγευμα η μικρούλα με έβγαλε ασπροπρόσωπη. Ήσυχη, ευχαριστημένη, λογική, κακάκια δεν έκανε, έμεινε καθαρή και μοσχομυρισμένη σαν το γιασεμί, ήπιε αρκετό από το μπουκάλι το γάλα που είχε βγάλει με το θήλαστρο η μαμά, όλα κύλησαν όπως ακριβώς έπρεπε, ρολόι! Δεν απαιτούσε πολλά χέρια και χορούς. Της άρεσε να μισοκοιμάται με ευδαιμονία άλλης ποιότητας, ή να ανοίγει τα μάτια χωρίς καμιά απαίτηση ή ανησυχία, βρισκόταν σαν ψαράκι στα δικά της νερά και τίποτε άλλο δε χρειαζόταν.

Όταν επέστρεψαν οι γονείς της, ευχαριστήθηκαν με την καλή μας εικόνα και έδειχναν να εγκαταλείπουν τις αυστηρότητες που μαθαίνουν από τα χοντρά βιβλία για νεογνά· βιβλία που μελετούν φιλότιμα, ο καθένας μόνος του ή και οι δυο μαζί, ο ένας διαβάζει δυνατά ο άλλος ακούει, όπως συνηθίζουν από τον πρώτο καιρό της σχέσης τους.

Όσα γράφουν τα σημερινά βιβλία είναι ομολογουμένως πολύ πιο ελεύθερα και χαλαρά από όσο τότε του Σποκ μας. Περιέχουν όμως κι αυτά συμβουλές και κανόνες και, είναι φυσικό, επηρεάζουν τους νέους ανίδεους γονείς, που τρέμουν και την ελάχιστη παρατυπία. Αχ, οι νέοι γονείς και όσοι λατρεύουν με υπερβολή εκείνο που λατρεύουν. Πανικοβάλλονται μήπως ένα ελάχιστο μηδαμινό λάθος τούς φέρει την καταστροφή του κόσμου. Τα ίδια που παθαίνουμε όλοι και στην αρχή ενός μεγάλου έρωτα. Στην αρχή που αφιερωνόμαστε σε μια ιδεολογία ή πίστη. Στην αρχή ακόμη που μαθαίνουμε να μαγειρεύουμε. Χρειάζεται χρόνο και εμπειρίες πολλές για να διαπιστώσεις πως ο κόσμος πολύ μα πολύ δύσκολα καταστρέφεται. Ο κόσμος πολύ δύσκολα αλλάζει αν αλλάζει. Το κυριότερο, εσύ δε διαθέτεις και τόσο τεράστιες ικανότητες ούτε στο καλό ούτε στο κακό.

Κάθισαν λοιπόν οι δυο τους ευχαριστημένοι κοντά μας, σίγουρα τους είχε κάνει καλό ο περίπατος και η απομάκρυνση από την πηγή της ευτυχίας και της αγωνίας τους, και έβαλαν στο μηχάνημα να παίζει το CD που έφερα με τα πιο τρυφερά κομμάτια του Μότσαρτ. Ευρέως υποστηρίζεται ότι η ουράνια μουσική του αρέσει στα μωρά και τα εκπαιδεύει συναισθηματικά. Υπάρχει λέει για τους επιστήμονες το «Σύνδρομο Μότσαρτ», το οποίο συμπεραίνει πως τα μικρούλια που μεγαλώνουν ακούγοντας Αμαντέους Μότσαρτ γίνονται αργότερα πολύ πιο έξυπνα.

Το δωμάτιο τώρα και παράλληλα με τον βόμβο του κλιματιστικού έχει πλημμυρίσει μελωδίες, από τα ηχεία έρχεται γλυκύτατο πιάνο, λιγάκι υπερβατικό φλάουτο, ένα βιολοντσέλο και παραμυθένιο βιολί. Νότες σαν σταγόνες μέλι και σαν γυάλινες μπίλιες κυλούν στην ατμόσφαιρα του σπιτιού μία μία. Πρώτα ανεβαίνουν στην ατμόσφαιρα όπως οι σαπουνόφουσκες, μετά βαραίνουν και κυλούν στο πάτωμα σαν να κυλούν σφαιρικά κρυσταλλάκια. Ο Μότσαρτ επικρατεί σε όσα αυτό το ζεστό βράδυ νιώθουμε, σε όσα σκεφτόμαστε, σε όσα μας σκέφτονται, και γοητεύει, όπως το φίδι του ένας αόρατος μάγος, τον νου και τα αισθήματα. Όσα ξέρουμε και όσα είναι ασυνείδητα, πιθανότερο τα δεύτερα, τα γοητεύει ακόμη πιο υπνωτικά.

Πρώτη κοιμάται κατάχαμα η Τζούλι, πεσμένη σαν κομμάτι γούνας που από τα χειμωνιάτικα ρούχα ξεχάστηκε· κοιμάται βαθιά, ακίνητη, αφημένη εκεί, άπνοη. Μετά ναρκώνεται επί ώρες το μωρό. Λίγο αργότερα γέρνει το κεφάλι του Γιώργη, η Αλέσια κι εγώ, πολύ χαλαρές, πάψαμε να συζητάμε χαμηλόφωνα, χαμογελάμε η μια στην άλλη όλο και πιο απλανώς. Αν δυναμώσουμε κάπως τα ηχεία, όλη η πολυκατοικία, όλοι οι ένοικοι ίσως πέσουν σε ύπνο όπως σ' εκείνο το παραμύθι της Ωραίας Κοιμωμένης. Ωραία Κοιμωμένη βέβαια στο κέντρο η Μαρένια μας. Κοιμάται τώρα σαν λουλουδάκι, σαν νυχτερινό λευκό γιασεμί που «όσο και να νυχτώνει πάντα λάμπει». Της ταιριάζει ο ρόλος της μαγεμένης πριγκίπισσας!

Λέω να το πω αυτό με την Ωραία Κοιμωμένη αλλά ύστερα το μετανιώνω. Άσε, ξαναλέω μέσα μου, μην τους βάζω κι άλλες έγνοιες, αρκετά ανήσυχοι είναι με την είκοσι δύο ημερών κόρη τους. Αν τους θυμίσω το παραμύθι της θα αγχωθούν μήπως φτάσει άκαιρα να τη φιλήσει και να την ξυπνήσει ένας κάποιος πρίγκιπας. Χαθήκαμε τότε. Αλίμονο αν τόσο νωρίς έρθουν και τους την πάρουν οι έρωτες. Δεν την έχουν χορτάσει. Χρειάζονται δεκαετίες ακόμη να την έχουν από κοντά.

Θα τη χορτάσουν άραγε ποτέ τους; Χορταίνει το παιδί του κανείς; Θυμάμαι τη συντριβή του πατέρα μου, όταν αρκετά νωρίς παντρεύτηκα και έφυγα για τη Ρόδο μακριά τους. Το έμαθα μετά, πως καιρούς μπαινόβγαινε στα δωμάτια του πατρικού μας πολύ θλιμμένος και πότε πότε μονολογούσε κι έλεγε: «Κι εγώ τώρα με ποιον θα μαλώνω;»

Όχι, δε θα τους ανησυχήσω με κανένα γαμπρό πρίγκιπα. Είναι τόσο ευτυχισμένα ανήσυχοι με τούτο το ξαφνικό μωρό, με τούτο το παντελώς ξένο όσο και παντελώς δικό τους κοριτσάκι που λατρεύουν. Θέλουν καιρό, χρόνο πολύ, πάρα πολλές επαναλήψεις των καθημερινών συμβάντων ώσπου να πεισθούν πως μπορούν να είναι πιο ήρεμοι, ότι τα μωρά είναι ευάλωτα, αλλά είναι και θηριάκια.

Ήδη με τον μπαμπά της έχει διαφανεί λίγο πολύ το Οιδιπόδειο. Τη βλέπουμε πώς κάνει στην αγκαλιά του, πόσο απλώνει τα χεράκια άμα ακούσει τη φωνή του. Η Αλέσια μου λέει ότι τη νύχτα, που ήταν συνεχώς άγρυπνη, την ίδια τη χρειαζόταν ίσα ίσα για να θηλάσει, αμέσως μετά στρεφόταν και αναζητούσε τον πατέρα της.

Αλίμονό μας, λέμε εμείς, ιδίως εγώ που μαρτύρησα στη ζωή μου και στις αγάπες μου από το Οιδιπόδειο με τον πατέρα μου. Το σύνδρομο της Ηλέκτρας σωστότερα απέναντι σε έναν στιβαρό και αξεπέραστο Αγαμέμνονα, όπως το όρισε ο μέγας Φρόιντ. Και δεν ήξερε και τον πατέρα μου… Αλίμονο!…

Ο μπαμπάς της όμως λάμπει κι αυτός. Είναι περήφανος. Καθόλου μάλλον δεν τον ανησυχεί για το μέλλον της αν του έχει ιδιαίτερη αδυναμία. Καλύτερα να του έχει. Να την προστατεύει περισσότερο, να γίνει πιο υπάκουη μαζί του για το καλό της και για να της μάθει πολλά γράμματα. Κυρίως να μείνει μαζί του πιο πολύ. Να παντρευτεί αργότερα. Μια χαρά είναι κι οι μπαμπάδες για τις κόρες. Εδώ και ο ίδιος ο Φρόιντ, που γνώριζε όλες τις παγίδες των οικογενειακών επικίνδυνων συνδρόμων, φρόντισε ώστε η έξυπνη μορφωμένη κόρη του η Άννα να μείνει μαζί του ισόβια αφιερωμένη, ανύπαντρη και ταγμένη στο πρόσωπο και στο έργο του σαν ιέρεια.

Ο Γιώργης λοιπόν δεν ανησυχεί για σύνδρομα, εκείνος δείχνει πανευτυχής με την πρώιμη αδυναμία της κορούλας του. Κάτι τέτοια αισθήματα, τέτοιες αδυναμίες, τέτοιες παθολογίες έστω, αν θέλει έτσι να τα θεωρήσει κανείς, είναι πάντα αμοιβαίες. Τα ξέρω καλά όλα τούτα τα φωτεινά και ολοσκότεινα, κι από τον δικό μου λατρεμένο μπαμπά, τα ξέρω…

Όλα τον θυμίζουν. Όλο επιστρέφω σε όσα μαζί του έζησα, έμαθα, κυρίως όσα σπουδαία και πανέξυπνα συνήθιζε να λέει. Μου έκανε εντύπωση ο εαυτός μου τη χιονισμένη μέρα της κηδείας του, όταν έφυγε πλήρης ημερών –αν είναι δυνατό να θεωρηθεί ποτέ πλήρης ένας άνθρωπος σαν τον ανήσυχο δικό μου μπαμπά–, που με πλησίαζαν συγγενείς και φίλοι να με συλλυπηθούν και να μου πούνε το τετριμμένο:

«Να ζεις να τον θυμάσαι», όταν κάτι από μέσα μου ξέσπασε και φώναξα: «Όχι, δε θέλω να τον θυμάμαι, θέλω να τον ξεχάσω, δεν αντέχω αλλιώς». Ας είναι…

Όντως, ο Γιώργης και η Αλέσια δεν υπερβάλλουν όταν επιμένουν να προσέχουμε κάποιες συνήθειες. Άστε τώρα τι λέω εγώ… Εγώ είμαι γιαγιά και η κρίση μου μετακόμισε από το κεφάλι στην πρωτόγονη καρδιά μου, εκεί ακριβώς όπου καμιά επιστημονική γνώση δεν πείθει εύκολα τη λαχτάρα μου.

Μαθαίνουν και συνηθίζουν όντως πολλά από τις πρώτες μέρες τους τα μωρά. Για όσα τους αρέσουν βέβαια μιλάμε. Η ανιψιά μου η Μαίρη στο Εδιμβούργο κοιτά τις φωτογραφίες της μικρούλας που της στέλνω ίνμποξ τα βράδια και σύντομα μου παρατηρεί πως έχει ήδη προσωπικότητα. Το βλέπει, λέει, καθαρά. Το ίδιο της είχα πει –και το εννοούσα– κι εγώ για τον δικό της απίθανο Τόμας, τον κατάξανθο μισοσκοτσέζο γιο της, που έφτασε πια σήμερα εφτά μηνών. Μα ναι, για όσους έχουν χρόνο και επιθυμία να παρατηρούν το μωρό τους, το διακρίνουν πως από πολύ πολύ πρώιμα, από τις πρώτες μέρες, το μωρό ήδη εμφανίζει μια αποκλειστική προσωπικότητα. Το παρατηρώ ιδίως τώρα, μήνες και μήνες μετά, σχεδόν εφτά μήνες μετά τη γέννα, πως στις φωτογραφίες της των πρώτων της ημερών, των πρώτων της ωρών, ο χαρακτήρας της είναι ήδη ίδιος με αυτόν που όλο και παγιώνεται, που ξεκαθαρίζει τώρα. Είναι από τότε προστατευτικό το χεράκι της πάνω σ' εκείνο που αγκαλιάζει. Έχει ήδη ένα σχεδόν χαρούμενο χαμόγελο, αχνό, που τα κατάφερε να βγει στο φως του κόσμου, να ζήσει.

Λέγεται πως πρότειναν στον σοφό Σωκράτη να αναλάβει ένα παιδί σαν παιδαγωγός τα χρόνια της μεγάλης του δόξας. Εκείνος ρώτησε τους γονείς: «Τι ηλικία έχει;»

«Έξι μηνών», απάντησαν.

Κι ο Σωκράτης σχολίασε δυσοίωνα για τη συνεργασία: «Πολύ αργά!…»

Ο πατέρας Μάρκελλος Καμπάνης, στην Παναγίτσα Αχαρνών, στις μοναδικές ομιλίες του συνήθιζε να μας τονίζει: «Και να προσέχετε! Η οικογένεια δεν είναι παιδοκεντρική όπως τείνουμε να θεωρούμε, είναι ζευγοκεντρική. Ο πυρήνας της δεν είναι το παιδί στη μέση και γύρω γύρω όλοι οι άλλοι. Κέντρο και πυρήνας της οικογένειας είναι το ζευγάρι, το ανδρόγυνο!»

Το πιστεύω βαθιά. Από το ανδρόγυνο και τον δεμένο ή λυμένο δεσμό τους εκπορεύονται όλες οι οικογενειακές καταστάσεις, της σχέσης τους η διάχυτη ατμόσφαιρα είναι που τρέφει ή αφήνει ατροφικά τα γεγονότα του σπιτιού τους, πλάθονται τα ψυχικά χαρακτηριστικά του παιδιού, το θάρρος ή οι φόβοι, ρίχνεται το θεμέλιο, χτίζεται η γνώμη του για το υπάρχω-δεν υπάρχω, και πιο πολύ από καθετί αυτό που χαράζει εσωτερική υγεία ή ασθένεια, ειρήνη ή ψυχολογικούς πολέμους και που λέγεται αδιακόπως και αφειδώς: Ασφάλεια. Το μέγα πρόβλημα του σημερινού κόσμου, το απαίσιο άγχος που τόσο τιμωρεί, που παραμορφώνει χαρακτήρες και αντιδράσεις, που σπρώχνει σε σφάλματα ή αναστέλλει πορείες, στο μέγα πρόβλημα της Ασφάλειας και της Ανασφάλειας βυθίζει τις μαύρες ρίζες.

Και το ζεύγος των γονέων, η σχέση τους, ο τρόπος της επαφής τους, η ειλικρίνεια μεταξύ τους ή τα ψεύδη τους, τα φανερά τους και τα δήθεν κουκουλωμένα είναι το χώμα το εύφορο ή η πέτρα η άγονη, η σκληρή, από όπου θα αρπαχτούν δυνατά παιδιά, ή θα αδυνατίσουν σαν φτερά περιστεριού πεταμένα στον άνεμο, σαν παιχνιδάκια προσωρινά ακουμπισμένα σε αεικίνητη άμμο. Το ζεύγος που είναι η αρχή και ο λόγος της σύλληψής τους, το ζεύγος που τόσο στενά έσμιξε κάποια στιγμή για να έρθουν στον κόσμο, να υπάρξουν τα παιδιά, πώς μπορεί να διαλύεται τώρα δίχως να τα διαλύσει κι αυτά; Πώς γίνεται να συγκρούεται, να αλληλοκατηγορείται, να αλληλοσυκοφαντείται τώρα χωρίς να τα σαστίσει, να τα τρελάνει και να τα καταπληγιάσει;

Ανάλογα με την αγάπη τους, τη βαρεμάρα τους, τη συμπάθεια ή την αντιπάθεια μεταξύ τους, την ειλικρίνεια ή τις δεύτερες σκέψεις τους, τους καβγάδες τους ή τον αλληλοσεβασμό, τη θέρμη ή την ψυχρότητά τους, και όσα απίστευτα συμβαίνουν σε ένα ζευγάρι όταν κλειδώνει την πόρτα του, ιδίως τα απόκρυφα, ανάλογα με αυτά λέμε θα δομηθεί και ο παιδικός του ψυχισμός. Γιατί τα παιδιά γνωρίζουν καλά ποια είναι η αληθινή σχέση των γονιών τους, τα πραγματικά τους συναισθήματα, καλύτερα κι από όσο τα γνωρίζουν αυτοί οι ίδιοι. Τα παιδιά τα αφορούν ζωτικά οι δυο γονείς τους, το τι συμβαίνει ανάμεσά τους, τι απειλεί να ξεσπάσει, τι επωάζεται για το αύριο, και τους παρατηρούν με εξεταστικές κεραίες, με αισθαντικότητα παλμογράφου, με αισθήσεις που πιστοποιούν αλήθειες σαν υπέρηχος, με αγωνία, παριστάνοντας ότι τάχα δεν προσέχουν, δε γνωρίζουν, δεν ενδιαφέρονται. Δεν ξεφεύγεις, δεν κρύβεσαι από τα παιδιά όσο μικρά κι αν είναι, όσο κι αν υποκρίνονται πως δε σε παρακολουθούν, πως είναι αφοσιωμένα στο δικό τους παιχνίδι. Έχουν κι αυτά την αξιοπρέπειά τους. Είναι απίστευτο το τι και πώς ξέρουν να ερευνούν ό,τι τα απασχολεί. Και τίποτα δεν τα απασχολεί περισσότερο από το τι συμβαίνει με την αγάπη των γονιών τους μεταξύ τους. Τη γνώμη που έχει ο ένας τους για τον άλλον τους.

Έχοντας δουλέψει πάνω από δεκαετία στην ψυχοθεραπεία άκουσα ιστορίες από παιδιά, μεγαλωμένα και χτυπημένα πια σαραντάχρονα, πενηντάχρονα, εξηντάχρονα παιδιά, τέτοιες ιστορίες, που δεν πίστευα στα αυτιά μου ότι μπορεί να συμβαίνουν στα κλειστά σπίτια των ανθρώπων. Δεν πίστευα ότι ένα παιδάκι στο άλλο δωμάτιο μπορεί να ακούει και να αντιλαμβάνεται τα πάντα επί λέξει, και κυρίως να τα συλλαμβάνει κατά το αυθεντικό πνεύμα τους. Μακάρι οι γονείς να γνώριζαν τα παιδιά τους όσο τα παιδιά τους ξέρουν εκείνους.

Την Αλέσια την έβαλα στην καρδιά μου με την πρώτη ματιά. Ήταν ημέρα γιορτής μου, Νοέμβριος του 2009, Εισόδια της Θεοτόκου, γιορτή που γιορτάζουν το όνομά τους οι πιο πολλές Χανιώτισσες Μαρίες, ανύπαντρες, παντρεμένες ή χωρισμένες. Από πριν ο Γιώργης μού είχε πει ότι θα έρθει μαζί με μια κοπέλα Ρωσίδα που τελευταία βλέπονται.

Ο δεσμός ήταν σοβαρός όπως σύντομα έδειξε, και γι' αυτό αποφάσισε να τη φέρει στο σπίτι μια μέρα που είχαμε συγκεντρωθεί οι πιο στενοί φίλοι μου, φίλοι που είναι κοντά και με τον Γιώργη από τότε που ήταν μικρός. Για να κάνει κάτι τέτοιο ο γιος μου με τον χαρακτήρα του, ήταν βέβαιο για όλους μας πως δεν ήταν ένα συνηθισμένο φλερτ. Οι δυο τους έφτασαν όταν όλοι είχαμε ήδη μαζευτεί. Χτύπησαν το κάτω κουδούνι. Άνοιξα την εξώπορτα.

Το κορίτσι έβγαινε από το ασανσέρ και, πίσω από την ωραία, μεγάλη ανθοδέσμη που κρατούσε, με κοίταζε με μεγάλα μάτια ελαφίνας, τρακαρισμένα, υγρά και υπερευαίσθητα. Μπήκε αμέσως στην καρδιά μου με εμπιστοσύνη περίεργη· περίεργη για τη βιασύνη της εμπιστοσύνη, και μην ξεχνάμε το τι διηγούνται γενικώς κι από πάντα για τις μητέρες και τους μοναχογιούς!

Όμως τα μάτια και η ματιά του κοριτσιού κοίταζαν με ευθύτητα και λάμποντας ολοκάθαρα. Τέτοια μάτια και, κυρίως, τέτοια ματιά μπορούν να υπερνικούν προδιαθέσεις και προκαταλήψεις, όσα λέγονται για μητέρες και μοναχογιούς, κι εγώ δεν αντιστέκομαι σε ό,τι με υπερνικά, το επιζητώ ίσως κιόλας. Επιζητώ δηλαδή να θαυμάσω κάτι, να γοητευτώ από κάποιον, να τον πιστέψω, μου αρέσει να με κερδίζουν, ιδίως μεγαλώνοντας, όπου κάτι τέτοιο συμβαίνει όλο και σπανιότερα, όλο και δυσκολότερα. Αρκετά μας γονατίζουν με τα χρόνια και τα χρόνια τόσες απογοητεύσεις.

Με τον καιρό και με τις ατέλειωτες από εδώ και πέρα συζητήσεις μας, η Αλέσια, που είναι εξαιρετική στο να σε ακούει, αλλά και να απαντά συνετά με τα τέλεια ελληνικά της, κατάφερε ώστε η πρώτη εντύπωση του ασανσέρ, πίσω από εκείνη την ανθοδέσμη, να κρυσταλλωθεί.

Όταν φίλοι και γνωστοί αργότερα με ρωτούσαν να τη χαρακτηρίσω, έλεγα το απόσταγμα από τη γνωριμία της: «Είναι ένα κορίτσι που θέλει οπωσδήποτε να ευτυχήσει! Και θα κάνει, θα πληρώσει όσα μπορεί γι' αυτό! Θα δουλέψει για την ευτυχία!»

Μου ήρθε στο μυαλό πρώτη ετούτη η γνώμη, αυθόρμητα, άμεσα, γιατί ένα τέτοιο κορίτσι υπήρξα κάποτε κι εγώ, ίσως λιγάκι και κάτι να μου απομένει. Μπορούσα να το αναγνωρίσω. Τίποτε από τις πρώτες εντυπώσεις δεν άλλαξε, αντίθετα επιβεβαιώθηκε και βελτιώθηκε με τα χρόνια και τις όποιες περιπέτειες της κάθε ζωής. Εκείνη η πρώτη εντύπωση, η πρώτη γνώμη μου για την Αλέσια βγήκε σωστή.

Δεν είναι όμως πάντοτε ακριβές εκείνο που ευρέως διαδίδεται, ότι η πρώτη εντύπωση είναι και η τελευταία. Να μη στηριζόμαστε σε μια τέτοια διάδοση οπωσδήποτε, γιατί συχνότατα επηρεάζει λαθεμένα ανθρώπους. Οι προκαταλήψεις, οι προβολές μας, οι άσχετες άμυνες, κάποια απωθημένα που σπεύδουν να φτιάξουν εσφαλμένους συνδυασμούς αλλοιώνουν την αθωότητα της πρώτης εικόνας. Υπάρχουν πάμπολλες περιπτώσεις όπου η πρώτη εντύπωση αποδεικνύεται στην πορεία άλλ' αντ' άλλων. Για να είναι αληθινή εκείνη η γνώμη που μας κατέβηκε με την αρχική όψη του άλλου, προϋποτίθεται πως είναι πλάσμα αληθινό, πολύ αληθινό, εκείνος που για πρώτη φορά βιαστικά αντικρίζεις. Όπως, παράλληλα, πρέπει να είσαι ειλικρινής, ισορροπημένος και χωρίς προκατάληψη εσύ. Δεν είναι απαραιτήτως άγραφη κάθε πρώτη σελίδα της ψυχής μας, κάθε πρόλογος και επικεφαλίδα της. Αντιθέτως, πολλές μουντζούρες, θεατρικές υποκρισίες, μνήμες καθολικές, αρχαία υποσυνείδητα, διαβάσματα και ταινίες, τεχνικές, απωθημένα, χαζοσκηνοθεσίες είναι πανέτοιμα να ορμήσουν και να επηρεάσουν απ' την αρχή μια συνάντηση. Να την εξωραΐσουν ή να την αδικήσουν. Και πάνω από όλα κατισχύει κι εδώ το θέλω μας και η γνώμη μας για τον εαυτό μας.

Έτσι νομίζω, και σ' αυτές τις σκέψεις με οδηγούν όσα περιστατικά από το παρελθόν επανεξετάζω εκ των υστέρων και τα ανακαλώ. Τώρα, και εκ των υστέρων, τώρα που πια το έμαθα το τέλος μιας παλιάς συνάντησης, πολλών παλιών συναντήσεων.

Μεγαλώνω... Το να ξαναδιαβάζεις την παλιά ζωή σου, τις περασμένες σελίδες σου, μεγαλώνοντας σου χαρίζει ωριμότητα και ασκημένη κρίση, βάζει αταξίες στη θέση τους και σε προετοιμάζει για το απέραντο μέλλον. Γιατί το μέλλον του ανθρώπου είναι ατέλειωτο, ατέρμονο, ας το πούμε ακόμη και αιώνιο, απαιτείται βελτίωση και προετοιμασία. Στο κάτω κάτω μια δυνατή θεραπεία της ψυχανάλυσης σε κάτι τέτοιο ακριβώς βασίζεται και στοχεύει: στην αναψηλάφηση του παρελθόντος μας, όσο γίνεται πιο παλιά, πιο πίσω, πιο βαθιά, με τωρινή ωριμότερη κρίση και με τη στήριξη ενός άλλου προσώπου, του θεραπευτή που εμπιστεύομαι. Μονάχα έτσι απομυθοποιείς πολλούς από τους τρομαχτικούς σου δαίμονες και πορεύεσαι μπρος με γενναιότερη ελευθερία.

Κάποια στιγμή και λίγους μήνες μετά το φθινοπωρινό ξεκίνημα του έρωτά τους, ο Γιώργης πέρασε από το σπίτι μου και μου είπε, έπειτα από διάφορα αδιάφορα για να καθυστερεί τα δύσκολα, άσχετα με το θέμα διάφορα, ότι σκέφτεται να προχωρήσει με την Αλέσια, την άνοιξη μάλλον, τον Απρίλιο ίσως, να της δώσει ένα δαχτυλιδάκι, να πάνε ταξίδι στην Πράγα, στη Γέφυρα του Καρόλου, ίσως, έτσι λέει… Ο Γιώργης, όσο ερωτευμένος κι αν ήταν, είναι και Αιγόκερως εκατό τοις εκατό. Έχει τελειομανίες, είναι υπερβολικά προσεχτικός, ακόμη και δύσπιστος, δε θέλει να βιάζεται για τα σοβαρά, δε θέλει να λαθεύει. Υποφέρει μετά με τα δικά του σφάλματα, γι' αυτό από μικρός προετοιμάζεται, εξετάζει και επανεξετάζει λεπτομερώς τις κινήσεις του. Ακόμη, όσο μπορεί, και τις κινήσεις της καρδιάς του. Εν ολίγοις, χρειάζεται βεβαιότητες. Αν είναι αλήθεια πως οι ψυχές διαλέγουν από πριν αυτές τον γονιό τους, πήγε και βρήκε την κατάλληλη μαμά δηλαδή!… Μια μαμά ανυπόμονη και βιαστική, γενική και αόριστη σε όσα αποφασίζει να κάνει. Τη σώζει ευτυχώς ένα κάποιο υγιές της ένστικτο και φυσικά ο Θεός!

Ο γιος μου λοιπόν μου τα είπε σύντομα και ελαφρώς αμήχανα τα σχέδιά του –δεν είναι και η πιο εύκολη συζήτηση μεταξύ μαμάς, χωρισμένης μαμάς, και μοναχογιού– και ήταν σαν να ρωτούσε έμμεσα πώς τα βλέπω. Περίμενε. Είναι ο τρόπος του.

«Τι να σου πω κι εγώ, γιε μου;» έκανα. «Ο γάμος είναι πάντα ρίσκο. Όμως με αυτό το κορίτσι εγώ πιστεύω πως αξίζει να ρισκάρεις!»

Και ρίσκαρε, ρίσκαραν και οι δύο. Και ευτυχώς!

Το μωρό μας το λέμε Μαρία, Μαράκι, Μάσενκα, Μάρω, Μάσα, και Μπεμπούσκα, και Μπέμπα, και Τζιτζίκι, και Μπιμπίκω, και Μπαλαρίνα, και Μαρένια, και Μπέμπενκα, και Μωρό, και Μικράκι, και Ματάκια μου, και Τοσοδούλα όπως έλεγαν στη Ρωσία την Αλέσια μικρή. Όσο τα γράφω και τα βλέπω παρατηρώ πόσο υπερτερούν, δίχως κανένα προσχέδιο, τα τρυφερά, τα κτητικά Μι σαν πρώτο γράμμα στα ονόματά της. Ένα μόνο Τζιτζίκι και μια Τοσοδούλα διαφέρουν. Μήπως είναι μέρμηγκας κι αυτή αργότερα στη ζωή; Τζίτζικας και μέρμηγκας, λέει, είναι οι Λέοντες. Το Μι είναι γράμμα ήμερο και τρυφερό, κολλάει με το γλυκύτατο Μου, το κτητικό και ευαίσθητο, που τόσο χαϊδεύει την καρδιά μας άμα προφέρεται. Αλλιώς είπαμε ακούγεται να σου λένε: «Μη στενοχωριέσαι», αλλιώς «Μη μου στενοχωριέσαι». Την έχουμε ξαναπεί αυτή τη μελένια διαφορά. Το Μι λοιπόν, το γλυκύ και πράον, ίσως από το «Μαμά», που σαν ευτυχία, ασφάλεια, στοργή ή ακόμη και θλίψη σταλάζει από την πρώτη στιγμή της ύπαρξης στις ψυχές και στο δέρμα του ανθρώπου. Το Μπαμπά βαραίνει λίγο μαζί με το Πι, διότι χρειάζεται και κάποια ευστάθεια, κάποια βαρύτητα, μια κάποια ακινησία, κάποια δύναμη, σύνορο, στήριξη και τόλμη, ο κόσμος έξω από το σπίτι είναι άγριος. Χρειάζεται ένας Μπαμπάς για να μας νικάει τον Μπαμπούλα.

Το λέμε και το ξαναλέμε, και θα το λέμε πάντα, διότι έχει

σημασία τεράστια, πως η Αγία Τριάδα της γονεϊκής οφειλής περιέχει τα αναγκαία Τρία, και πάνω από όλα το πρώτο τους: *Τρυφερότητα*.

Τρυφερότητα, Ασφάλεια, Αναγνώριση.

Σαν τα αναγκαία τρία δώρα που, ακολουθώντας τότε το Άστρο της Βηθλεέμ, οδοιπόρησαν και οδοιπόρησαν από τα πέρατα οι τρεις Μάγοι, προκειμένου να φτάσουν στο σπήλαιο της Γέννησης και να τα αποθέσουν στο αχυρένιο λίκνο του Θείου Βρέφους και της μικρούλας μάνας του.

Τρυφερότητα, Ασφάλεια, Αναγνώριση.

Όποιο από τα τρία λείψει ανοίγει τραύμα και χάσμα, αδυναμία και ασθένεια εκεί πάνω ακριβώς, στο απόν κομμάτι. Υπήρξαν άνθρωποι που δούλεψαν κοντά μου με συνεδρίες επί χρόνια συνεχόμενες κι όταν τους τα ανέφερα, ρωτώντας τους μετά να εντοπίσουν ποιο απ' αυτά δεν τους έδωσαν επαρκώς οι δικοί τους, χωρίς δεύτερη σκέψη και με φωνή επιθετική απάντησαν: «Και τα τρία... Κανένα απ' τα τρία...» Ναι, δεν ήταν λίγοι τέτοιοι αναλυόμενοι.

Ίσως μάλιστα, λέω τώρα, τούτα τα τρία να συνδέονται μεταξύ τους σαν συγκοινωνούντα κατά κάποιο τρόπο δοχεία. Ίσως... Να, αν κάποιος δεν μπορεί να αισθανθεί τρυφερότητα για το πιο τρυφερό πλασματάκι της Δημιουργίας, πώς να το αναγνωρίσει σαν άξιο λόγου, και πώς να μπορέσει να το ασφαλίσει, αν το κοιτάζει σαν γονιός με μάτι ψυχρό; Έτοιμο διαρκώς να το απαξιώσει;

Αναγκαία είναι πάντα και τα τρία από τις πρώτες ώρες της αναπνοής μας στο οξυγόνο, αλλά και από πριν ακόμη, τότε που με ελαφρά σπρωξίματα και μικρές κλοτσιές δίνεις στο σώμα της μαμάς σου σημάδι: Μη με ξεχνάς! Ήρθα και είμαι εδώ!

Ναι, από τόσο νωρίς πεινάς και διψάς τα τρία, έτσι λένε και οι άγιοι, και οι σοφοί, και οι επιστήμονες. Είναι απίστευτο πόσο όσο μελετάς και προχωράς στην ψυχολογία τα λόγια των Αγίων συμφωνούν με τα λόγια των επιστημόνων. Των Αγίων μάλιστα συνήθως προηγήθηκαν.

Τα παιδιά μου ευτυχώς γνωρίζουν καλά όσα συζητάμε, είναι υπερβολικά πρόθυμα και προετοιμασμένα και τα δυο στο να της τα παρέχουν, όπως υπερβολικός είναι κάθε νεοφώτιστος. Την αγκαλιάζουν, τη χαϊδεύουν, τη γεμίζουν φιλάκια και λόγια ενθαρρυντικά, την καθησυχάζουν, την καμαρώνουν, όλο την καμαρώνουν και της λένε τα μπράβο της, κι εκείνη, είμαι βέβαιη, καταλαβαίνει ήδη τα περισσότερα. Και πιο πολύ τα φιλάκια που την κάνουν να αστράφτει στα μάτια και στα παχουλά της πεντανόστιμα μάγουλα. Με τους μήνες τής αρέσει πολύ το να την καμαρώνουν, τι όμορφη και καλή που είσαι, τι όμορφη, τι καλή! Της το λέμε με τα μάτια μας γεμάτα αλήθεια και τίποτα δε μιλάει τόσο ευδιάκριτα στα μικρά όσο η αλήθεια μας. Καμαρώνει μαζί κι αυτή τόσο γλυκά και αστεία. Καμαρώνει απερίγραπτα τρυφερά, απερίγραπτα συγκινητικά που καταφέρνει να σταθεί τρεκλίζοντας στα γόνατά μας όρθια, τεντώνει μπροστά την κοιλίτσα και κάνει με το ένα χεράκι την πεταλούδα. Εμείς φωνάζουμε «Μπράβο, Μάσενκα… Μπράβο, Μαράκι», χειροκροτούμε, ενθουσιασμός στο κοινό, κι εκείνη αστράφτει που τα κατάφερε τόσο καλά και όλη η ψυχή της ξεπροβάλλει στο πρόσωπό της, στα φρυδάκια, στο μέτωπο, στο λακκάκι και στο πιγούνι, σαν πρώτο αστράκι της αυγής. Αγωνίζεται να κάνει όλο και πιο καλά την πεταλούδα.

Και θυμάμαι τώρα, πολλά μου θυμίζουν κάθε λίγο όσα γράφω, με πόνο θυμάμαι ένα αγόρι που μαζί δουλέψαμε για τα ανίκητα άγχη του που το κατέτρωγαν, και που μου διηγιόταν πως άμα έφερνε στη φυσική 19,5 στον έλεγχο, ο πατέρας του τον κοιτούσε περιφρονητικά και απογοητευμένος έκανε: «Α, δεν πήρες είκοσι δηλαδή;»

Τα μικρά εγκλήματα των οικογενειών τα λέμε μικρά επειδή συμβαίνουν χαμηλόφωνα, καλοκρυμμένα, με πλήρη άγνοια για τη σημασία τους. Ίσως τα έχουμε διαπράξει κάπως κι εμείς, έτσι ή κάπως αλλιώς τα έχουμε λίγο ως πολύ διαπράξει. Είναι όμως τεράστια, καταλυτικά, είναι δαιμονικά. Τι σημαίνει συγχώρεση; Απορώ πότε πότε για κάτι τέτοια...

Το αγόρι με το 19,5, που θυμάμαι τώρα, κύλησε στα ναρκωτικά. Αργότερα κατάφερε να ξεφύγει, αλλά τις νύχτες πάντα χρειαζόταν να πιει υπνωτικό για να κοιμηθεί. Όταν τον ρωτούσα τι το θέλει πια το χάπι, μου απαντούσε: «Αν είχατε κι εσείς τη νύχτα να θυμάστε όσα έχω να θυμάμαι εγώ, θα με καταλαβαίνατε».

Δεν είναι καθόλου τυχαίο που τα κλασικά, τα πιο αγαπημένα παραμύθια των παιδιών είναι περίπου θρίλερ και εξελίσσονται μέσα σε περίεργες επικίνδυνες οικογένειες. Αποζητούν να αναβιώσουν ένα σενάριο οικείου τρόμου που κρύβουν. Να συγκριθούν σε φόβους με τους ταλαιπωρημένους μικρούς ήρωες, να λάμψει το δίκαιο και η δίκη του κακού στο τέλος. Παραμύθια με πατέρες νεκρούς και ανύπαρκτους, ή που μονίμως ταξιδεύουν αλλού κι αλλού, με μητριές που στην ουσία είναι μάνες αλλά η Δυτική κουλτούρα της Παναγίας Μαντόνας εμποδίζει να το παραδεχτούμε εύκολα. Μονάχα η τολμηρότατη Καινή Διαθήκη ευθέως βρίσκει το θάρρος να πει: *Και εχθροί του ανθρώπου οι οικιακοί αυτού,* και αιώνες μάλιστα προτού γεννηθεί ο Φρόιντ.

Η Χιονάτη λοιπόν απειλείται μέχρι θανάτου από τη σύζυγο του μπαμπά της, η Σταχτοπούτα από ζηλόφθονες αδελφές, όσο για τη μητέρα της Κοκκινοσκουφίτσας δεν μπορεί να πει κανείς πως ήταν και ό,τι καλύτερο! Ποια φυσιολογική μητέρα που νοιάζεται για το κοριτσάκι της το στέλνει ομορφοστολισμένο μέσα στο σκοτεινό πυκνό δάσος, όπου κυκλοφορούν ανθρωποφάγοι λύκοι; Ο μπαμπάς στα περισσότερα απ᾽ αυτά τα κλασικά, λατρεμένα παραμύθια απουσιάζει. Είτε είναι έμπορος και ναυτικός, που λείπει τον περισσότερο καιρό από την οικογένεια και ιδέα δεν έχει για τα τεκταινόμενα, ή έχει πεθάνει, ή έχει πολλές ασχολίες για το ασυμμάζευτό του βασίλειο ώστε δεν παίρνει χαμπάρι τι γίνεται κάτω από τη μύτη του στα παιδιά του και στο σπίτι του. Τυχαίο που κάτι τέτοια θέλουν να ακούνε τα παιδιά; Πρέπει να μας αφορά συνειδητά ή υποσυνείδητα μια ιστορία για να μας συγκινεί. Στο πνεύμα της, στον πυρήνα της να μας θυμίζει, ακόμη κι αν δεν το ξέρουμε, δικά μας.

Στον Γιώργη όταν ήταν μικρούλης άρεσε ένα άλλο θρίλερ. Του το διάβαζα και του το ξαναδιάβαζα όταν ήταν κρυωμένος και έπρεπε να κάτσει ήσυχος στο κρεβάτι, στη

Ρόδο: *Το πάρτι της Αλεπούς*. Αλεπούδες, αλεπουδάκια, αρνιά ψητά και αρνιά σκοτωμένα, άγρια σκυλιά, αιματοχυσίες... Στο τέλος βέβαια, αλλά αφού περνούσανε και περνούσαμε συμπάσχοντας τα πάνδεινα, αφού συζούσαμε του λιναριού τα πάθη, ακολουθούσε ειρήνη, κάθαρση και το αξέχαστο επιμύθιο: *Αλεπού, αν είχες γνώση, η γιορτή θα 'χε τελειώσει, με τραγούδια και χαρά, δίχως να 'ρθουν τα σκυλιά!*

Το αστείο είναι πως τελικά ήταν φαίνεται στο πεπρωμένο του οι αλεπούδες! Στα ελληνικά παραμύθια, το ξέρουμε όλοι καλά, την αλεπού τη λένε συνήθως Μάρω, όπως τη μαμά του και τώρα την κόρη του, αλλά και στα ρωσικά παραμύθια το συνηθισμένο όνομα που έχει μια αλεπού είναι Αλέσια!

Για μια «προοδευτική», μοντέρνα περίοδο, παιδοψυχολόγοι, φεμινίστριες, κοινωνιολόγοι, σύλλογοι πολιτιστικοί και δημοκρατικότατοι, όπως και άλλα ιδρύματα αποφάσισαν ότι τέτοια παραμύθια, όπως τα πασίγνωστα παραδοσιακά που μεγάλωσαν γενιές και γενιές, είναι ανεπίτρεπτα για την ψυχολογία και κυρίως για την πολιτική εκπαίδευση των μικρών παιδιών. Πρότειναν τότε άλλα θέματα, ξενέρωτα, γλυκερά, political correct, με επιμύθια κοινωνικά και ρηχά δημοκρατικά που βγάζουν μάτι. Όμως τα παιδιά, τα σοβαρά παιδιά που λέμε πως είναι πιο σοβαρά από τους μεγάλους, αγνόησαν σύντομα τούτο το είδος των χαζών παραμυθιών και επέστρεψαν με ένα γενικό ακόμη και εμπορικό «έτσι θέλω» στα παλιά, των σκοτεινών καταστάσεων, της αγωνίας, των ύπουλων κινδύνων, των δράκων, της μάγισσας, της θλίψης της βαθιάς όπως εκείνης του άφταστου Χανς Άντερσεν, της κάθαρσης από ζόφους και μέσω ζόφων. Τι περίεργα, ανεξήγητα εκ πρώτης όψεως τα γούστα των παιδιών, είναι δυσπρόσιτη στην κοινή μας ενήλικη λογική η εξήγησή τους. Φαίνεται πως αυτά τα αφορούν περισσότερο, τους θυμίζουν, τηρουμένων των αναλογιών, δικές τους δυσκολίες, εφιάλτες ή φόβους. Δικές τους εμπειρίες, ακόμη και υποσυνείδητες, καταγραμμένες με του παραμυθιού τις παραβολές. Ταυτίζονται με Σταχτοπούτες, Χιονάτες, Κοντορεβιθούληδες, με τον Χάνσελ και την Γκρέτελ, Κοκκινοσκουφίτσες ή και κακούς λύκους. Το υποσυνείδητο των μικρών παιδιών βρίθει από ζόρικες περιπέτειες και σκιερές φαντασίες. Ίσως και από εκείνο το αβυσσαλέο που ονομάστηκε καθολικό ασυνείδητο.

Από την πρώτη άλλωστε στιγμή που ήρθαν σαν έμβρυα στη ζωή, οι κίνδυνοι, η σκληρή επιβίωση, η πάλη, οι μάχες, ο πόλεμος, η αιματοχυσία και οι ωδίνες της κοσμογονίας του τοκετού εισέβαλαν στη συνείδηση και αυτόματα μάλλον στο ασυνείδητό τους. Και τα παιδιά, ιδίως τα μικρότερα, αναζητούν αληθινές εμπειρίες, ή παρεμφερή, συμβολικά βιώματα για την ύπαρξή τους ώστε να δείξουν ενδιαφέρον. Μας συγκινεί μονάχα ό,τι μας αφορά, το είπαμε και παραπάνω.

Εκείνο που εμένα με συγκινεί, αλλά και που με τρελαίνει μαζί τους, είναι που ζητούν επαναλήψεις σ' αυτό που τους αρέσει ιδιαίτερα. Που απαιτούν ξανά και ξανά το ίδιο παραμύθι, το ίδιο αστείο που τα κάνει να γελά, το ίδιο παιχνίδι, πάλι και πάλι ένα τραγούδι, ένα αστειάκι, μια γκριμάτσα μας. Εκείνο το «πάλι» και «πάλι» τους! Μ' αρέσει τούτη η προσήλωσή τους στο ίδιο ενδιαφέρον, στο ελάχιστο, που μπορούν να παίζουν ευτυχισμένα για καιρό με το πιο απλό πραγματάκι, με ένα πάμφθηνο αντικείμενο· η μικρή μας επί ώρες καταχαρούμενη τσαλακώνει ένα κομμάτι από ζελατίνη. Έτσι απλά και επίμονα απλά χαίρονται, πριν μιμηθούν τη δικιά μας υπερκατανάλωση κι αρχίσουν να ζητούν, να αξιώνουν όλο και περισσότερα, διαφορετικά αντικείμενα, παιχνίδια, ρούχα, συσκευές, γκάτζετ, με την ακόρεστη απληστία του νεόπλουτου. Βρίσκουν και τη δική μας ενοχική ψυχολογία πρόθυμη να υπακούσει, να σπεύσει και να τους αγοράσει διάφορα. Διότι οι σημερινοί γονείς, πλημμυρισμένοι από τύψεις επειδή εργάζονται και δεν είναι όσο θα όφειλαν κοντά τους, ή επειδή είναι χωρισμένοι μεταξύ τους, μακριά από τον άλλον και το κοινό σπίτι τους, νομίζουν πως έτσι θα αποζημιώσουν το μικρό από τα τραύματα που του προκάλεσαν, πως θα γαληνέψει κάπως η δική τους ταραγμένη συνείδηση. Με αυτό το σύστημα όμως το μόνο που καταφέρνουν είναι να επιβεβαιώνουν στο παιδί πως κάτι άλλο, ουσιωδέστερο, δεν κάνουν καλά, πως κάτι άλλο, σημαντικότατο, του στερούν. Και η απληστία των μικρών, που περιέχει και τιμωρία γονέων, όλο και καθιερώνεται, όλο και αυξάνεται, ανεβάζει τον πήχη της. Αυξάνεται διότι δεν είναι αυτό που στην ουσία χρειάζονται, είναι μονάχα ένα υποκατάστατο, ένα ψευτοσύμβολο άλλης ανάγκης, και ως γνωστό τα υποκατάστατα ικανοποιούν μόνο για λίγο.

Ένα από τα χειρότερα προβλήματα που ακολουθούν το διαζύγιο έχει να κάνει με αυτή την υπερπροσφορά που αγωνίζεται μάταια να εξαγοράσει αγάπη, συγγνώμη, να καλύψει ενοχές και κενά ενηλίκων. Ο καθένας από τους χωρισμένους γονείς, γεμάτος τύψεις που θέλει να διασκεδάσει, να καθησυχάσει, να δικαιολογήσει, να απωθήσει, γίνεται υπερβολικά ελαστικός και δοτικός με το «ορφανεμένο» τους παιδί. Όσα κι αν λέει στον εαυτό του και στους γύρω του, σε συγγενείς και φίλους, πως είναι αναγκαίο να χωρίσει, να σωθεί από τον άθλιο γάμο του, να γίνει ήρεμος και ευτυχισμένος αλλιώς, ώστε να γίνει και καλύτερος γονιός, πως είναι δικαίωμά του να διακόψει έναν άρρωστο δεσμό, μια εσφαλμένη επιλογή που τερμάτισε, και όλα τα πασίγνωστα και χιλιοειπωμένα που λέμε και ακούμε κατά τα διαζύγια, κάτι στα βάθη της συνείδησής του το ξέρει πως δεν είναι σωστός με το παιδί που έφερε στη ζωή. Πως το μικρό του είναι θύμα της δικής του επιπολαιότητας, παλιότερης ή καινούργιας, του δικού του εγωισμού, του δικού του ναρκισσισμού, του δικού του συμφέροντος που κοιτά πώς να ξαναζήσει νέες ευκαιρίες ζωής, και αναζητά τρόπους να αποζημιώσει αυτό το παιδί και τον πόνο του, ακόμη και τον πόνο της προσωπικής του ανησυχίας. Προσπαθεί να του προσφέρει πράγματα, διασκεδάσεις, να είναι επιεικής, να του γίνεται αρεστός κατά πολύ περισσότερο από όσο θα έκανε αν συνέχιζε να ζει με την οικογένεια που είναι τώρα διαλυμένη. Συναγωνίζεται σε επιείκειες, χαϊδολογήματα και προσφορές το πρώην ταίρι του, ένας δαιμονικός ανταγωνισμός με «κερδισμένο» το μικρό πριγκιπόπουλο ανάμεσά τους. Το μικρό τους στοίχημα, το μικρό τους θύμα, τον μικρό τους θύτη, που θέλει δε θέλει τον εκπαιδεύουν για δυνάστη τους. Και όχι, ένα ισορροπημένο, φυσιολογικό παιδί δε θέλει να γίνεται δυνάστης και εκμεταλλευτής των γονιών του. Θέλει να τους σέβεται και να τους θαυμάζει. Καθόλου δεν του αρέσει ο ρόλος που το εξωθούν να παίξει, να παραμορφωθεί. Τους θυμώνει πολύ γι' αυτό, ακόμη κι αν δεν το ξέρει. Δεν του αρέσει που δεν είναι φυσικοί γονείς, που δεν είναι πατέρας και μαμά, αλλά αγχωμένοι πλειοδότες σε ένα παζάρι που δεν είναι καλό παιχνίδι.

Η Τοσοδούλα μας, στους πέντε έξι μήνες της τώρα, ακόμη δείχνει ολιγαρκής. Κι αυτό μας καθησυχάζει. Παρά το ότι το σπίτι, όπως κάθε σπίτι με μωρό, έχει γεμίσει παιχνίδια από εμάς και δώρα από φίλους, εκείνη είναι αφοσιωμένη με ενθουσιασμό και συγκινητική πίστη σε ένα φτωχούλικο ψαράκι. Κίτρινο, πλαστικό, με γουρλωμένα τα καλοσυνάτα μάτια του, και με ουρά που τη διευκολύνει να τη μασάει με μανία για τα ερεθισμένα ούλα της. Όλα τα άλλα τα ξεχνάει και τα παραμερίζει για χάρη του, κάνει τρομερές χαρές και φωνούλες ευτυχίας μόλις της το κρύβω και το φανερώσω ξαφνικά, λες και βρήκε τον χαμένο θησαυρό, ενθουσιάζεται φασαριόζικα όταν της το ξεπροβάλλω μια από εδώ, μια από εκεί, από το μέρος που περιμένει να φανεί και από το μέρος που δεν περιμένει, περνάει ώρες μαζί του και κοιμάται μαζί του.

Από τις πρώτες μέρες που βγήκε στη ζωή τη δική μας χαμογελάει. Όσα μπορούν και παραπάνω από όσα μπορούν κάνουν οι γονείς της, όπως κάναμε κι εμείς με εκείνους τότε που, παιδάκια, τα κρατούσαμε ακόμη σφιχτά στα χέρια μας. Από εκεί και πέρα, τα κληρονομημένα χούγια προγόνων και αγνώστων, τα δικά μας λάθη τα αναπόφευκτα, ο ακόμη πιο αναπόφευκτος εγωισμός μας, η ιστορία του κόσμου που τα ενέχει, οι συνθήκες και το κλίμα που βρέθηκαν, το δυσμενές προνόμιο της αυτονομίας, της ελευθερίας τους και της θέλησής τους, θα αναλάβουν επίσης να επιδράσουν στο βήμα τους, στις αποφάσεις και τις αναθεωρήσεις τους, στον άνθρωπο που θα καταλήξουν να είναι όσο βαδίζουν πάνω στις ράγες της προσωπικής τους περιπέτειας. Κι εμείς όσο περνούν τα χρόνια θα κάνουμε πιο πίσω. Με την ίδια αγωνία, αλλά πιο πίσω, προσπαθώντας να αγωνιούμε όσο γίνεται πιο βουβά, πιο κρυφά για να μην τα φορτίζουμε, για να μην τα εκνευρίζουμε. Να ανησυχούμε όσο γίνεται χωρίς να φαίνεται. Να το κρύβουμε, μην και τους επιβαρύνουμε τα άγχη της δικιάς τους ενήλικης οδοιπορίας.

Τυχεροί όσοι πιστεύουν στον Θεό και μπορούν να ειρηνεύουν προσευχόμενοι στα δύσκολα, στα άγρια, στις ζόρικες νύχτες κάθε Γεθσημανής μας, προφέροντας εκείνο το σωτήριο, το λυτρωτικό και θαυματουργικό «Στα δικά Σου πια χέρια!» Τι άλλο μένει;

Τυχεροί όσοι καταφέρνουν να τηρούν καμιά φορά τα λόγια του αγαπημένου Γέροντα Παΐσιου που συμβουλεύει: *Μη ζαλίζετε τα παιδιά σας με κουβέντες και πολλές συμβουλές. Ό,τι έχετε να τους πείτε, πείτε το καλύτερα στον Θεό. Πιο εύκολα θα πιάσει τόπο.*

Έτσι κι αλλιώς για τους πιο έξυπνους ανθρώπους ο Θεός είναι μονόδρομος. Για τους έξυπνους ανθρώπους μια ζωή χωρίς Θεό στον κόσμο τούτο, έτσι όπως πάει, σε τρελαίνει σιγά σιγά και σταθερά.

Το μωρό μας λοιπόν, κάπου πενήντα πέντε πόντους άνθρωπος, σε λίγες μέρες γίνεται ημερών σαράντα. Σαράντα μέρες δραματικά ωραίες και ευαίσθητες, δραματικά εκπληκτικές, εκστατικές και ανήσυχες. Τόσο ευτυχισμένες που η ευτυχία δεν υποφέρεται και πάει να μοιάσει με θλίψη. Ο σημαδιακός κύκλος του αριθμού σαράντα μάς βρήκε κατακαλόκαιρο.

Όμως σιγά σιγά, ελάχιστα, πάει να δροσίζει. Τις νύχτες μόνο κάτι γίνεται στη βεράντα μου, όπου μυρίζει από άλλες βεράντες βαριά το νυχτολούλουδο. Οι εποχές στην Αθήνα έσυραν σαν λάστιχο και μάκρυναν τις παλιές θερμοκρασίες. Λες και κρατά έναν μήνα παραπάνω το καλοκαίρι πια, έναν μήνα παραπάνω ο χειμώνας. Οι αγαπημένες ενδιάμεσες εποχές, οι μέτζο, έχουν συντομεύσει, λες και έχουν ζαρώσει, έχουν μπει από την υγρασία, που έχει χειμώνα και καλοκαίρι περισσέψει ενοχλητικά. Μπορεί και να μεγαλώνω, να γερνώ, να γίνεται πιο υπερευαίσθητο και γκρινιάρικο το σώμα μου, το δέρμα μου να γεμίζει δυσανεξίες. Όλο για τον καιρό μιλάμε πια με τους φίλους, όπως κάποτε κοροϊδεύαμε τους Άγγλους, όλο για τον καιρό μιλάμε σαν κύριο θέμα κι εμείς. Όμως…

Όμως θα είναι πια γλυκός ο Σεπτέμβρης, λίγο πιο υγρή, πιο βαριά η ζέστη, αλλά οι ώρες του ήλιου, ξεκινώντας πρώτα από την αυγή, θα συντομεύσουν και θα φτάνει πιο γρήγορα το ανακουφιστικό δειλινό. Το φως ιλαρό θα έχει πιο ροδί χρώμα. Έρχεται η μέρα που η Μαρία μας πρέπει να εισέλθει στην Εκκλησία του Θεού, του Θεού της ζωής και των θαυμάτων, του δικού της Θεού δηλαδή.

Θα την πάρουν οι γονείς της αγκαλίτσα ντυμένη τα πιο καλά της ρούχα. Λευκό βατιστένιο και κεντητό φόρεμα, που έστειλε για τη γιορτινή μέρα από μακριά η άλλη γιαγιά η Κατερίνα. Θα της χτενίσουν με λοξή χωρίστρα στο πλάι τα μαλακά μαλλιά. Θα τη λούσουν πιο προσεχτικά τη νύχτα της παραμονής, θα μοσχομυρίζει κι άλλο. Με καρδιοχτύπι θα την κρατούν θησαυρό, με έγνοια μεγάλη να μην κλάψει, να κρατηθεί στις πάνες της καθαρή ως το τέλος, να είναι ευγενική και υπομονετική όπως συνήθως είναι, και θα ανεβούν τις σκάλες. Τις μαρμάρινες σκάλες της μεγάλης εκκλησίας πιο πάνω από το σπίτι τους, κρατώντας τη σαν δώρο που έλαβαν και που κάπου, κατά κάποιο τρόπο, τώρα δωρίζουν.

Εισόδια!

Εισόδια! Τι λέξη! Τι επιλογή! Τι αρχή και τι ευκαιρία!

Εκείνη, θαμπωμένη από το έξω φως του πρόναου, όπου μέσα στο καροτσάκι της περιμένει πλάι στη συγκινημένη της μαμά, μπαίνοντας ξάφνου στο μισοσκόταδο του ναού θα μισοκλείσει τα ματάκια, θα τα ανοίξει πάλι για να παρατηρεί έκθαμβη –από την ώρα που γεννήθηκε της αρέσει να παρατηρεί έκθαμβη– τις φλόγες των κεριών, των λευκών λαμπάδων, τα άνθη γύρω από την εικόνα της γιορτής, τα καντηλάκια, τις αντανακλάσεις απ' τα χρυσωμένα εικονίσματα, τα ασήμια από τα πουκάμισα των στρατιωτών αγίων. Μπορεί όμως πάλι και να κοιμάται και να ονειρεύεται. Ποτέ δεν ξέρεις πότε καταλαβαίνει περισσότερα ένα βρέφος· ξύπνιο ή μέσα στη χαλάρωση του μυστήριου ύπνου του. Μπορεί λοιπόν να ονειρεύεται πράγματα και θαύματα που δε φτάνει πια ο νους μας. Πως έτσι επιστρέφει, ας πούμε, για λίγο στον Παράδεισό της, που εικόνα του, λένε, είναι ο ναός όπου τη βάζουνε. Εισόδια!...

Και οι τρεις τους, πλάι πλάι, σχεδόν κολλημένοι μεταξύ τους, θα πλησιάσουν τον καλό ιερέα που θα τους περιμένει, θα την πάρει προσεχτικά στα απλωμένα χέρια του, θα χαμογελάει όπως την πρωτοαντικρίζει, και μετά θα στραφεί σοβαρός προς την εικόνα του Σταυρού και θα προφέρει χαμηλόφωνα τα ιερά λόγια. Θα την προχωρήσει ύστερα μέχρι το Άγιο Βήμα, μπροστά στην Ωραία Πύλη, θα την ανασηκώσει πιο ψηλά, κατάντικρυ στον Ιησού, στη Θεοτόκο και στον Τίμιο Πρόδρομο του τέμπλου, και θα ευχηθεί για χάρη της την ευχή.

Διαβάστε επίσης...

ΜΑΡΩ ΒΑΜΒΟΥΝΑΚΗ
Η μπαλάντα
της ζήλιας

ΜΑΡΩ ΒΑΜΒΟΥΝΑΚΗ
Η δικηγόρος
ΜΥΘΙΣΤΟΡΗΜΑ

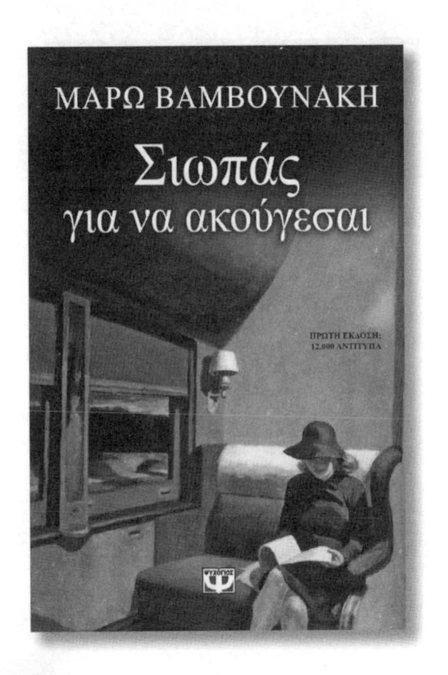
ΜΑΡΩ ΒΑΜΒΟΥΝΑΚΗ
Σιωπάς
για να ακούγεσαι
ΠΡΩΤΗ ΕΚΔΟΣΗ:
12.000 ΑΝΤΙΤΥΠΑ

ΜΑΡΩ ΒΑΜΒΟΥΝΑΚΗ
Γενέθλια ξανά

ΜΑΡΩ ΒΑΜΒΟΥΝΑΚΗ
Κυριακή απόγευμα
στη Βιέννη
ΨΥΧΟΓΙΟΣ

ΜΑΡΩ ΒΑΜΒΟΥΝΑΚΗ
Ο ερωτευμένος
Πολωνός

ΨΥΧΟΓΙΟΣ